アメリカの思想

と

文学

白岩英樹

分断を乗り越える「声」を聴く

白水社

講義　アメリカの思想と文学

分断を乗り越える「声」を聴く

装幀＝コバヤシタケシ　　組版＝鈴木さゆみ

目　次

第1講　はじめに

アメリカの特性

「欧米」や「英米」という言葉を見てもわかるように、アメリカとヨーロッパ（さらにはイギリス）は頻繁に同一のカテゴリーで語られます。しかし、文化全般、とりわけ思想や文学に着目すれば、両者のあいだには決定的な差異があることに気づきます。

まず、思想や文学をはぐくむ「土壌」となる、フィジカルな問題について考えてみましょう。どんな人間も真空地帯には生きられないのと同じように、どんな思想や文学にも特定の「土壌」が存在しています。

アメリカの第1の特徴は、ヨーロッパ諸国に比べて、圧倒的に広大な国土をもっていることです。しかも、いわゆる本土だけでなく、アラスカからハワイに至る広大な領域をカバーしています。とにかく大きい。

2つ目は、国家としての歴史がきわめて浅いことです。アメリカ50州の合衆国加盟年次をさかのぼっていくと、建国の礎（いしずえ）となった**ペンシルベニア州**でさえ1787年。せいぜい18世紀の後半、日本でいうなら江戸時代の中期です。そのころから入植者たちが西側へ

どんどん領土を拡大していき、ようやく19世紀半ばに**カリフォルニア**がアメリカに組み込まれます。ヨーロッパ各国に比べても、異様なほどに若くて新しい国なんですよね。

そして3つ目。さきほど「入植者」という言葉を使いましたが、多様な地域から人々が移り住むことで成立し、資本主義的な「競争力」を築いた国家だということです。当初は宗教的な迫害を逃れて、イギリスから入植してきた人々（**ピルグリム・ファーザーズ**）が中心でしたが、時代を経るごとに移民たちの出身地域にも変化が生じ、その多様なルーツが、アメリカという特異な国家のアイデンティティを担ってきたのです。

まとめますと、広大な国土、歴史が浅いこと、多様な民族性。この3つの特徴は、アメリカが思想や文学を通して独自の「声」を創出していくにあたり、絶対に欠かせない基盤となってきます。

アメリカの「声_{ヴォイス}」を求めて

この授業のキーワードは「声_{ヴォイス}」です。講義概要には次のように記しています。

> 本講義のキーワードは「声（ヴォイス）」。主たる目的は「人工／実験国家」アメリカが、文学を通して独自の思想を形成し、特有の「声」を獲得する過程を探ることにある。方法としては、アメリカに「根づいた」多様な作家や思想家たちの多様なテキストにふれながら、彼らが自らの「声」を紡ぎ出すプロセスに

光を当てる。

結果として、我々の思想は複層化し、我々自身の「声」もまたポリフォニックな響きを奏で始めるだろう。個の生き直し（reborn / rebirth）も、社会の再構築（reconstruction）も、すべてはそこから始まる。

「**人工国家アメリカ**」という表現については、さきほどの入植者たちの話でおわかりになったと思います。つまり、そこに先住民族として暮らしていた人々（いわゆるアメリカ・インディアン）が、ネイション（国家）を造ったのではないんですよね。入植者が先住民に対する迫害や虐殺を繰り返しながら西へ西へと進んでいくこと（**西漸運動**）で成立したという、まぎれもない事実がある。その歴史的事実を踏まえて「人工国家アメリカ」と表現しているわけです。

また、本来ならば長い歴史のなかで培われる神話や民話といった民族的な求心性が、若い国アメリカには決定的に欠けています。もちろん、先住民たちの暮らしには、そのような声が確固として存在していたのですが、入植者たちが野卑なものとして無下に放逐してしまった歴史があります。そういった決定的な欠如を抱えながら、いったいどのようにして国民統合のバックボーンになる「声」を創出していったのでしょうか。個々が内面化しうる物語がいかに紡がれ、同時代的な事物と習合されながら、通時的な耐用性のある「声」が醸成されていったのでしょうか。原文にふれることで、その「声」そのものへ迫っていこうというのが、この授業の最大の狙いです（各講の原文に付してある日本語はすべて、既訳を参考にしつつ、文脈の理解に必要となる語句を適宜おぎなって、白岩自身が試訳しています）。

自己の多声化から、別の可能性〔アナザー・ポシビリティ〕の創出へ

　さらには、アメリカの声の醸成や発展を見ていくだけでなく、そこから我々自身はどうなのかという内省的な体験を重ねていけたら理想です。やはり、思想や文学の根本問題は**「自分自身がどう生きるか」**ですから。アメリカの声に耳をすませることで、自分の内側にも反響する声を聴き取り、そこから意識的に自身の「ネイチャー（本性）」に基づいた生き方を探っていく。この授業を通して、お互いにそのようなことを実践していけたらいいなと思っています。

　成熟するというのは、自分の内側にたくさんの人の生、たくさんの人の声を取り込んでいくことなんですよね。国家レベルで考えても、民主主義の基礎になるのは多声的な社会ですし、その起点として必要とされるのも、まずは個々人の多声化です。多くの声を「聴く」ことで、「いま・ここ」とは別の可能性〔アナザー・ポシビリティ〕が見えてくる。社会の再構築（reconstruction）も、個人の生き直し（reborn / rebirth）も、すべてはそこから始まるのです。

論点

(1)　アメリカの正式な国名 "United States of America" に用いられている "United（統合された）" という語の背後には、"Unite（統合する／した）" 主体が存在しています。名称に "United" が使用されている国家は、アメリカのほかにどこがあるでしょうか。歴史的経緯や残存する問題についても考えてみましょう。

(2) 日本にも、「人工国家」と呼びうる側面が存在するでしょう
か。また、日本の先住民族に対して、日本政府はどのような
態度をとってきたでしょうか。その変遷をも含めて調べてみ
ましょう。

第2講 ベンジャミン・フランクリン

(Benjamin Franklin, 1706-90)

KEYWORD

Yankeeism
rationalism
utilitarianism
self-made man

　いよいよ今回から本題に入っていきますね。最初にご登場いただくのは、ベンジャミン・フランクリン。扱うテキストは『フランクリン自伝』（*The Autobiography and Other Writings*, Signet Classics, 1961）です（松本慎一・西川正身訳、岩波文庫、1957年）。

　キーワードの1つ目は「**ヤンキーイズム**（Yankeeism）」。MLBニューヨーク・ヤンキースの「ヤンキー」ですね。「はじめに」でもお話ししましたように、アメリカという国家の成立には宗教性が深くかかわっています。決死の覚悟でイギリスを出航したピルグリム・ファーザーズには、新大陸で光り輝く町を造りたいという強い思いがありました。アメリカ人気質とも訳される「ヤンキーイズム」がおもしろいのは、そのような激烈な精神性が、2つ目のキーワード「**ラショナリズム**（rationalism）」（合理・理性主義）、さらには3つ目「**ユーティリタリアニズム**（utilitarianism）」（実利・功利主義）

ベンジャミン・フランクリン
（1706-90）

と統合されて、アメリカ独自の思想的輪郭を形成していくところです。一見すると、宗教的な精神性を追求することと、合理的かつ実利的であることとは、まったく相容れないように感じますよね。しかし、神と個人との関係性から生み出される禁欲的かつ勤勉な姿勢が、きわめて合理・実利的な資本主義と必然的に結びついていくんです。興味のある方には、**マックス・ヴェーバー**の『**プロテスタンティズムの倫理と資本主義の精神**』をおすすめします（大塚久雄訳、岩波文庫、改訳版1989年）。その発端とプロセスとがこまかく論じられている名著です。

　そして、最後のキーワード、「**セルフメイド・マン**（self-made man）」ですね。セルフメイドとは、自分で自分を作る。この考えの根底にあるのが、まさにヴェーバーがいう「プロテスタンティズムの倫理」です。克己的であることが重視され、そこから育まれる強靭な意志が日常の選択をひとつひとつ積み重ねていく。そのような日々の営みによって、揺るぎのない自己が構築される。それがセルフメイド・マンの根本にある考え方です。いわゆる近代的な**啓蒙主義**へと連なっていく精神性ですよね。日本でたとえるなら、**福沢諭吉**（1835-1901）や**渋沢栄一**（1840-1931）。彼らが一万円紙幣の肖像であるように、フランクリンも100ドル紙幣の肖像ですね。

　逆にいえば、フランクリンは十分な教育を受けられませんでした

から、セルフメイド・マンを地で行くしかなかったんです。ただ幸運だったのは、お兄さんが営む印刷所の見習いになれたことですね。フランクリンはのちに独立して新聞を発行するのですが、お兄さんのところでその修行ができた。満足に学校へ通えなかったぶん、印刷所で文字を覚え、文章作法を学んだんですね。ちょうどメディアの基礎が発達し始めた時代でもありましたから、文章をつづり、大勢の前で話をすることで影響力を増していった。あとで実際に見ていきますが、彼の文章はとても質が高いんです。そういった意味でも、典型的な**近代人**です。

　フランクリンがすぐれているのは、そういった個人レベルだけでなく、共同体や国家の水準でも一気に近代化を推し進めたところです。図書館を開設したり、警察を組織化したり、教育機関や医療施設を創設したり。それによって、近代国家としてのアメリカのフレームが形成されていきました。いわば「**社会的発明家**」のような働きですね。

　その後、40代後半で事業から身を引くと、もっぱら政治活動に取り組むようになります。なかでも最大の仕事は、植民地アメリカが独立するまでの一連の働きでしょう。ますます悪化しつつあった宗主国イギリスとの関係を改善すべく、何度もロンドンへ渡航しては交渉を重ねました。そして、ついには**アメリカ独立宣言**の起草・署名委員に名を連ねるとともに、**ファウンディング・ファーザーズ**（**建国父祖**）のひとりとなりました。文字通りにアメリカの父であり、近代的な**立身出世主義**を体現した人物ですね。

　では、実際に彼の合理主義や実利精神がよく表れている箇所を主著『自伝』に読み取っていきましょう。

My companion at the press drank every day a pint before breakfast, a pint at breakfast with his bread and cheese, a pint between breakfast and dinner, a pint at dinner, a pint in the afternoon about six o'clock, and another when he had done his day's work. I thought it a detestable custom; but it was necessary, he supposed, to drink *strong* beer that he might be *strong* to labour. I endeavoured to convince him that the bodily strength afforded by beer could only be in proportion to the grain or flour of the barley dissolved in the water of which it was made, that there was more flour in a pennyworth of bread, and therefore if he would eat that with a pint of water, it would give him more strength than a quart of beer. He drank on, however, and had four or five shillings to pay out of his wages every Saturday night for that muddling liquor, an expense I was free from. And thus these poor devils keep themselves always under.　　　　(pp.58-59.)

「印刷所に勤めていたころ、酒飲みの同僚がいた。朝食前に1パイント、朝食のパンとチーズを頬張りながら1パイント、朝食と昼食のあいだに1パイント、昼食時に1パイント、夕方6時ごろに1パイント、1日の仕事を終えてから1パイント。毎日このペースで飲むのだ。なんていまわしい習慣だと思っていたが、彼からすると必要なものらしい。重労働を乗り切るには屈強な肉体が必要で、そのために強いビールが欠かせないということだった。わたしは彼の誤解を正してやりたかった。ビールから得られるエネルギーは原料の水に溶解した大麦の量に比例すること。同じ1ペニー分なら、ビールよりもパンのほうが多くの麦を含んでいること。ビールを2パイント飲

むよりも、1ペニー分のパンと水1パイントを摂取したほうが多くのエネルギーを得られること。そういったことを言って聞かせたけれど、彼はあいかわらず飲み続けていた。土曜の晩などは、給料から4シリングから5シリングを捻出しては、きまって酒に呑まれるのだった。それに比べて、わたしにはそのような支出は必要ないわけだから、彼のようにみじめな人間が底辺でくすぶり続けるのは道理である。」

良い部分も悪い部分も含めて、**セルフ・ヘルプ**（自助）の精神で成り上がっていく人間の本音が漏れ出ていますよね。とりわけ、最後の "And thus these poor devils keep themselves always under" という箇所は、時代性を考慮に入れたとしても、読んでいてどきりとしてしまいます。本来は多面的かつ複合的である一個人を、近代精神にのっとって一面的に査定し、見切りをつけていく。そして自分自身はひたすら立身出世の街道を駆け上がっていく。そのような姿を文章の背後に見出すにつけ、ある種の恐怖を感じてしまいます。

　同じ調子で、酒飲みの同僚に対して「エネルギーを摂取するなら、酒よりもパンのほうが有効だよ」と説き伏せようとするわけですが、同僚は説得されない。説得されるわけがない。ぼくもビールを飲みますから、同僚の気持ちがよくわかります。誰かにフランクリンと同じことを言われても、やめることはないでしょうね。

　もちろん、時代性を抜きにしては語れないところがありますが、フランクリンは終始して人間を一面的にしか見ようとしません。彼の同僚は「屈強な肉体」を保持するために「強い」ビールが必要だと語っていますが、この飲みっぷりを見たら、そんなものはただの方便だとわかりますよね。それさえ理解できれば、もっと違うアプ

ローチを考えるはずです。人間は機械ではないですし、我々の生活が合理性だけで成立しているわけではないですから。

　フランクリンが好んで用いた言葉に "God helps those who help themselves"（天は自ら助くる者を助く）というものがあります。もちろん、ひとをプラスの方向へ引き上げてくれるような力にもなるのですが、逆から捉えると、さきほどのフランクリンの物言いと相通じる無慈悲なところがありますよね。自助努力をしない人間は天も助けてくれないよ、**自己責任**だよね。すべてを個人の責任に帰そうとする、今日の悪しき**新自由主義**へ直結していくような危険性も持ち合わせている。

　では、フランクリン自身は実際どのようにしてセルフメイドしていったのか。ひとことでいうと自己管理です。まず「十三の徳目」と呼ばれる、生活上の遵守事項を設定します。「1. 節制（Temperance）、2. 沈黙（Silence）、3. 規律（Order）、4. 決断（Resolution）、5. 倹約（Frugality）、6. 勤勉（Industry）、7. 誠実（Sincerity）、8. 正義（Justice）、9. 中庸（Moderation）、10. 清潔（Cleanliness）、11. 冷静（Tranquility）、12. 純潔（Chastity）、13. 謙虚（Humility）」といった具合です。

　そして、チェックシートのようなものを作って、日々の達成度を記録していくんですね。そのさまはきわめて合理的かつ実利的で、まるで工場製品の「品質管理」さながらです。そのようにして、ストイックに自己を抑制して、セルフメイドしていったわけです。もちろん、こういった姿勢は人間が成長していくにあたって、とりわけ初期段階には必要なことです。ある鋳型に自分自身を押し込むことで、より強化されると同時に制御された自己が出来する。筋肉トレーニングと似たようなもので、自己が変化していく体験自体が楽

しくなってくるんですよね。ただ、こういったプロセスを自分が楽しむ分にはいいんですが、これをほかのひとにも強いるとなると、さらにはそれが出来るか否かで人格を判断しようとすると、大きな問題が生じてきます。

　さきほどの引用は、生活習慣と立身とにかかわる箇所でしたが、今度はそこから一歩進んで、ビジネスと財産にまつわる部分を読んでみましょう。

My business was now continually augmenting and my circumstances growing daily easier, my newspaper having become very profitable, as being for a time almost the only one in this and the neighbouring provinces. I experienced, too, the truth of the observation that "after getting the first hundred pound, it is more easy to get the second:"—money itself being of a prolific nature. (p.120.)

　「わたしの事業はますます拡大する一方で、暮らし向きも日を追うごとによくなっていた。そのころには、新聞事業も大幅な黒字を達成していたのだ。というのも、近隣の地域を含め、このあたり一帯では、しばらく他紙がない状態が続いていて、わたしたちのが唯一だったということもある。「最初の100ポンドさえ手に入れば、次の100ポンドなんて朝めし前」という一般法則が真実であることを、身をもって体験したわけだ。金銭などというものは、もともと勝手に増えていくものなのである。」

非常に読みやすいオーソドックスな文章です。フランクリンの本領

発揮ですね。近代化にあたっては、知識階級に属する人間だけでなく、一般の人々が理解できる良質の文章を書き、彼らにも呑み込める論理で説明することが求められました。実際、文章作法も日々の反復練習によって、自身の血肉と化していった事実があるのですが、彼の文章には本当に大きな影響力がありました。

　フランクリンがここまで登りつめた背景には、本人の努力と才覚に並外れたところがあったということは誰にも否定のしようがないでしょう。しかし、見方を変えれば、このような例は、とりわけ社会の黎明期や時代の転換期に関する限り、枚挙にいとまがありません。さまざまな分野のニッチがそこかしこに残っていますから、意欲さえあれば参加した人間みんなが成功を重ねていくことができる。グローバル化が進んだ現代のような、過度な競争にかかわらなくとも済むかもしれません。

　しかし、ほかの時代や地域でも応用がきく普遍性があるかというと、それはやはり、社会的な需要の変化や思潮の深化といったバックグラウンドも異なりますから、「最初の100ポンドさえ手に入れば、次の100ポンドなんて朝めし前」などという軽口はそうそうたたけなくなります。個々人で身体や精神・経済的な状況や志向は千差万別ですし、共同体や政府（さらにはNPOやNGO）の役割も大いに変わるわけです。そういった事実を無視して、成功譚ばかり強調しすぎると、そこから「金を稼げないのは、すべて自分の責任、自己責任だ」という論調さえ生み出しかねません。

　フランクリンの場合、事業だけでは飽き足らず、そこから身を退いたのち、政治活動に進出していきます。ぼくはどちらかというと、幼少時から勤勉で、「個」の領域で人よりすぐれた成果を出そうと努力する彼よりも、一筋縄ではいかない「公」の領域に進出してか

らのフランクリンのほうが好きですね。自らの限界を認識し、葛藤を重ねつつも、それでも楽観的であろうとする。まさしく、そこにこそ、アメリカ精神の根源を見出すことができるのです。

トマス・ペイン（Thomas Paine, 1737-1809）

　いままで見てきたように、フランクリンや彼の系譜に連なる人物が、アメリカ独立の大きな柱になったことは紛うことなき事実です。しかし、いかに賢明な人物であっても、その理念や信念を市民全体に行きわたらせ、彼らを内面の深い場所から揺り動かしうるかというと、必ずしもそうとは限りません。フランクリンにもそのことはわかっていました。「**代表なくして課税なし**（No taxation without representation）」はアメリカ独立時の有名なスローガンですが、そのような言葉で公然とイギリスの王政を批判するには、フランクリンの地位はあまりに高すぎた。当時のアメリカでも、イギリスの植民地に甘んじつつも、その範囲内で適度な自由を満喫できれば十分と捉える指導者も少なくなかったようですし、王政に反旗を翻すことで既得権益を失いたくないと考える権力者たちも多かったんです。

　そのような状況下で独立への機運を高めるにあたって、**トマス・ペイン**はうってつけでした。なんといっても、彼はイギリス人ですからね。ロンドンで外交に携わっていたフランクリンが知人から紹介されたのをきっかけに、好意的な紹介状を持たせてアメリカへ送ってやったんです。ペイン本人は本国イギリスでは収税吏を務めていた、まったく無名の人物でした。当時のペインは、イギリス

トマス・ペイン
（1737-1809）

の階級社会のただなかで公私ともに苦難が続き、その日暮らし同然の生活を送っていたんです。しかし、アメリカ渡航後は出版業のかたわら、執筆を開始し、アメリカの独立に関しても、言論人として頭角をあらわすようになりました。そして、**ボストン茶会事件**に端を発した独立戦争が始まると、開戦翌年の1776年、まさに革命の「声」とも呼ぶべき『**コモン・センス**』を発表し、いまこそイギリスから離別すべきだと高らかに主張します。

The sun never shined on a cause of greater worth. 'Tis not the affair of a city, a country, a province, or a kingdom; but of a continent — of at least one-eighth part of the habitable globe. 'Tis not the concern of a day, a year, or an age; posterity are virtually involved in the contest, and will be more or less affected even to the end of time by the proceedings now. Now is the seedtime of continental union, faith, and honor. The least fracture now will be like a name engraved with the point of a pin on the tender rind of a young oak; the wound would enlarge with the tree, and posterity read it in full grown characters.

(Thomas Paine, *Political Writings*, Cambridge University Press, 2000, p.16.)

「これほど価値ある大義が明らかになったことはいまだかつてなかった。単なる一都市や州、ある一地方や王国だけの問題ではなく、大陸全土の——どんなに少なく見積もっても、全世界の８分の１にかかわる問題である。わずか一日や一年、いや一時代で済む案件でもない。実質的にいえば、わたしたちの子や孫たちもこの争いに巻き込まれている。今日を生きるわたしたちがどのような行動をとるか。そのことが、多かれ少なかれ、彼らの未来を左右するのだ。さあ、いまこそ大陸全土での団結を促し、信念と名誉のもとに立ち上がろう。それによって多少の傷を負ったとしても、それは針の先端で彫られた名前のようなものなのだ。若楢のやわらかい樹皮に刻み込まれた、誰かの名前。その傷は木の成長に応じて大きくなり、わたしたちの子や孫たちは立派に成長した文字を読むことになるのだろう。」

　まず、"a city, a country, a province, or a kingdom; but of a continent" と空間的な広がりを強調することで問題がどれだけ大きいかを訴え、それに続いて "'Tis not the concern of a day, a year, or an age" と論点を時間軸に移し、いまを生きる我々から生じる責任を強調しています。共時的にも通時的にも、多くの人間をふと立ち止まらせ、一考・再考を促す。そのような、すぐれたレトリックが用いられています。

　先ほど述べたように、戦闘状態に突入してなお、独立に対してしり込みする指導者は少なくありませんでした。自分の世代さえ生き延びられれば、それで十分だ、危険も顧みずに独立へ突き進むことなど、どうして出来ようか。そのような考えがむしろ主流だったくらいです。しかし、人間ならば誰もが有している利己主義を「ロゴス（言葉・論理）」で突き崩したのが、ペインの「声」でした。

自らが享受している自由と権利。それらが不当に脅かされるだけでなく、子々孫々への暴威が増していくさまがますます可視化されてきた今日、我々が立ち上がらずに誰が立ち上がろうか……。ひとつまちがえれば、プロパガンダにさえなりかねない、焚きつけるような論調かもしれません。しかしながら、人間の倫理に照らし合わせれば、当然ともいえる「常識（コモン・センス）」でもありました。

　事実、『コモン・センス』は飛ぶように売れました。刊行されて数か月で 10 万部超。読者層である当時の白人人口が約 200 万人ですから、比率からしても相当な数です。先の引用文を見てもわかるように、法学的な専門知識や法律解釈の枠に捉われない、平易な語彙や論理展開で市民の「常識」に訴えかけたのが格段に効いたのでしょう。いってみれば、共時性がすこぶる高い文章だったんです。それに加えて、先祖・自分たち・子孫という時間軸を分断するどころか、逆に架橋するようなレトリックが用いられていたのがなによりも大きかったんだと思います。やはり、アメリカの土台にあるのは、理念や信念といった「大義」ですからね。戦闘のフロントラインに立っていた軍隊内部でも、上官が部下に『コモン・センス』の一部を読んで聞かせるということがあったそうです。職業や世代、階層を問わず、多くの人たちを内面の奥底から鼓舞する「声」の役割を担っていたんですね。

　合理・実利性をベースにしたヤンキーイズム。それに相対するような「大義」としての理念・信念。淡々と前者を推し進めたベンジャミン・フランクリン、烈火のごとく後者を貫いたトマス・ペイン。彼らに代表される極と極とが、弁証法的に相互を強化することで成し遂げられたのが、まさしくアメリカの独立でした。ふたりの文章のトーンは、一見するとまったく相容れないような感じさえ覚

えます。しかし、その不協和音にさえ陥りかねない通奏低音こそが、取りも直さずアメリカの本当の「声」なのでしょう。一元的には決して収斂されず、かといって相対主義にも逃げ込まない。そのようなアンビバレントな「声」が併存しうるダイナミズムこそが、国家としてのアメリカの礎であり、いまなお最大の強みであり続けているのです。

独立後の自信喪失と「第二の独立革命」

　宗主国イギリスとの度重なる交渉、さらには戦争を経て、アメリカは最終的に独立を勝ち取ったわけですが、国際社会では長いこと偏見にさらされました。歴史や文化がないところに住む人間なんて未開人みたいなもんだろう、そういった視野狭窄に基づいた蔑視ですね。なかなか一人前の国家として扱ってもらえず、個々人が「アメリカ人」としての自信を築くまでにも相当な時間を要しました。

　当時のアメリカなんて、ヨーロッパに住む人々からすれば、だだっ広い荒野にしか見えなかったわけです。時代的にも、先住民や彼らが代々継承してきた文化に対して敬意を抱くどころか、むしろ野卑なものとして見下し、征服すべき対象としてしか捉えられていませんでしたから、仕方のないことかもしれません。

　事実、アメリカ人たちも、自らのアイデンティティの拠り所を見出しきれずにいました。もちろん、独立時は、ヨーロッパには存在しない理想の国を造るのだという信念自体がその源泉となっていました。が、先住民を虐殺したり、逆に急襲されたりといったことを

トマス・ジェファソン
（1743-1826）

繰り返しながら原野を開拓していく生活は決して楽なものではありませんし、時代が下るにつれて、建国当初の求心力も弱まりつつあったのです。

そのようなヨーロッパからの差別や、自分たちのアイデンティティの崩壊に対して、積極的に抗ったのが、のちに第3代大統領を務める**トマス・ジェファソン**（Thomas Jefferson, 1743-1826）です。そのプロセスに関しては、竹腰佳誉子「アメリカ哲学協会とアメリカン・アイデンティティの誕生」『繋がりの詩学――近代アメリカの知的独立と＜知のコミュニティ＞の形成』（彩流社、2019年）に詳細が論じられています（大変につきづきしい論述ですので、ご興味のある方はぜひ）。ここではその骨子を見ていきましょう。

まず、ジェファソンがとうてい見過ごせなかったのは「**新大陸退化説**」という流言がまことしやかにヨーロッパを支配していたことです。一言でいえば「アメリカの動植物はヨーロッパよりも**劣っている**」という荒唐無稽な俗説に過ぎないのですが、提唱者がフランスの生物学者でしたから、ジェファソンも必死でした。当時のアメリカにも学会に相当する組織はありましたし、ジェファソンはそれらを統括するような「アメリカ学術協会」の会長を務めていましたからね。

では、彼はアメリカのアカデミズムの長として、どのような方策

をとったのか。これが大変おもしろいんです。なんと、新大陸での
マンモスの生け捕りを命じるんですね。アメリカで発掘されるマンモスの骨格は、ヨーロッパのと比べても何ら劣っていない。それどころか、アメリカの先住民にはマンモスがまだ生きているという伝承さえあるのだ、そう主張します。実際、巨大なヘラジカを確保し、その標本をフランスまで送りつけたものの、マンモスの生け捕りは実現しませんでした。

　しかし、その裏で問題はますます拡大しつつありました。「新大陸退化説」が、アメリカに住む人間にまで対象領域を広げていたんですね。論調としては、アメリカには天才がいないではないか、そのような人物が誰ひとり生まれていないではないかという、暴論や言いがかりに近いものでした。が、ジェファソンはやはり看過するわけにはいかず、ここでも懸命な反駁を試みました。そういった天才を生み出すまでに、ヨーロッパでも多くの年月を要したはずだ。アメリカは誕生して間もない国ではあるが、**ジョージ・ワシントン**やベンジャミン・フランクリンのようなすぐれた人物を生み出しているではないか、と（興味深いことに、ここでのフランクリンは、雷が電気であることを発見した物理学者として例に引かれています）。

　ヨーロッパからの蔑視に対して、意地でも抵抗し続けたジェファソンの行動は、今日からすればいささか滑稽にさえ見えるかもしれません。それでも、当時のアメリカにとっては国家の沽券にかかわる、さらにはアメリカ市民のアイデンティティ確立の可否を左右する大問題でした。ジェファソン亡きあとの葬儀において、彼が行ったのは「第二の独立宣言」であったとする追悼文が読まれた事実を顧みれば、その重要性が想像できるでしょう。実際、その後のアメリカは、国家の運営はもちろんですが、文化の構築においても、

ヨーロッパとの差異化に対して、より意識を払う人物が増えていきます。イギリスやヨーロッパの二番煎じではなく、かといって同じ土俵で勝ち相撲をとろうというのでもない。そうではなく、アメリカにしか生み出しえない「声」の創出に意識的になっていくんですね。その意味合いでも、このジェファソンの働きは相当に大きかった。

　しかし、対外的に「大きな声」を発信しようとしたジェファソンも、国内で苦悶にあえぐ人々の「かそけき声」を傾聴することはできませんでした。表向きは**奴隷制反対論者**でありながら、実際は自身のプランテーションに数百人の奴隷を有し、彼らのことを自分たち白人よりも先天的に劣った存在であるとも考えていたんです。それに加え、彼自身が「種馬」と化して女性奴隷を孕ませ、自らの「資産」としての奴隷を増やし続けてもいました。コロナ禍中に火を噴いた **BLM**（Black Lives Matter）はジェファソンの矛盾を焙り出し、その影響を受けて、彼の銅像はアメリカ各地で撤去されたり移設されたりしています。

　ジェファソンの例にも見られるように、国家としてのアメリカ自体が孕む矛盾は、ややもするとその「声」自体が「分断」を生み出す引きがねにもなりかねません。そのような危機的な状況のなかで、アメリカを多様なままに「統合」しうる「声」はいかにして紡がれていったのでしょうか。次回からはいよいよその系譜に足を踏み入れていきたいと思います。

参考訳

『フランクリン自伝』松本慎一・西川正身訳（岩波書店、1957 年）

トーマス・ペイン『コモン・センス』小松春雄訳（岩波書店、1976 年）

推薦文献

倉橋洋子・高尾直知・竹野富美子・城戸光世『繋がりの詩学——近代アメリカの知的独立と＜知のコミュニティ＞の形成』（彩流社、2019 年）

論点

(1) アメリカの貨幣には、ベンジャミン・フランクリンのほかにどのような人物の肖像が使われているか調べてみましょう。また、今日の価値観から鑑みて、貨幣の肖像として相応しくない人物はいるでしょうか。もしいるとすれば、代替しうる人物をも含めて、その理由を考えてみましょう。

(2) ベンジャミン・フランクリンと福沢諭吉の自伝（『フランクリン自伝』『福翁自伝』）を読み比べて、アメリカと日本の近代化や各人の歩みにどのような類似点や相違が見られるか、考えてみましょう。

第3講　ラルフ・ウォルドー・エマソン

(Ralph Waldo Emerson, 1803-82)

KEYWORD

transcendentalism
Intellectual Declaration of Independence

　前回は、近代精神の象徴ともいえるフランクリンの『自伝』を起点に、アメリカの独立に大きく貢献した『コモン・センス』からほとばしる熱情にふれ、さらには内面的な誇り（第二の独立）を勝ち取るまでの苦難のプロセスをたどってきたんでしたね。

　今回とりあげるのは**R・W・エマソン**。テキストは『エマソン論文集（上・下）』（*Selected Essays*, Penguin Classics, 1982）です（酒本雅之訳、岩波文庫、1972-73 年）です。

　キーワード1つ目は「**トランセンデンタリズム**（transcendentalism）」。"transcend" が「超える／超越する」といった意味合いなので、アメリカ思想や文学史の文脈だと、たいていは「**超絶主義**」か「**超越主義**」と訳されています。

　そして2つ目が、"Intellectual Declaration of Independence"。ヨーロッパからの差別的な視線をはね返す「第二の独立宣言」は、精神・心理的な「独立」を表していました。今回は「**知的独立宣言**」

ラルフ・ウォルドー・エマソン
（1803-82）

ですから、そこから一歩さきへ進むことになります。アメリカの「声」の輪郭がようやく明らかになってくるんですね。それを導いたのがエマソンであり、彼の思想だと言われています。

　まず、エマソンの思想とは切っても切り離せない、伝記的な事実を確認しておきましょう。彼の思想が**楽観的**^{オプティミスティック}といわれるのとは正反対で、現実では身内の不幸と困難に見舞われ続けた人生だったんです。7歳のときに高名な牧師だった父を亡くし、25歳で結婚した妻を約2年後に亡くし、30代には弟二人を次々と亡くし、再婚相手とのあいだにもうけた長男を5歳で亡くし……。にもかかわらず、彼の文章を読んでいると、心の底から活力が湧き出てくるような感じさえ覚えるんです。エマソンはその対比からいっても非常におもしろい。さらに敷衍するならば、人間って、つくづく不思議な生き物だと思いますよね。不幸に満ちた人生だからといって暗部を見つめ続けるのではなく、だからこそ、ひたすらに光を求める。エマソンの思想や文章にふれるたび、そんなことを考えさせられます。

　エマソンは父を亡くしたあと、苦学してハーバードの神学校を卒業し、副牧師の職に就きます。しかし、形式主義を批判したことから教会と対立して、最終的には牧師を辞めてしまいます。方向性は異なりますが、ペインと似たような激しさを秘める人でもあったん

ですね。事実、それから 2-3 か月のうちにヨーロッパへ渡ると、第一級の思想家（**ミル**や**カーライル**）や詩人たち（**コールリッジ**や**ワーズワース**）と交流することで、自分自身を奮い立たせます。彼らと談話したり、意見を交換したりして、エマソンはアメリカでは得られない、大きな刺激を受けたようです。帰国してからは「講演者」としての第二の人生をスタートさせます。

　当時のアメリカでは、ちょうど「**ライシーアム**（lyceum）」を中心とした講演活動が拡大しつつありました。「ライシーアム」というのは、現在の文化会館のような存在で、知的かつ文化的なものを欲する市民たちが自ら立ち上げた組織です。字が読めなくても、講演は聴けばわかりますから、**ニューイングランド**で始まった活動は、わずか数年のうちに全国にまで広がりました。その動向は、スピーチを土台にしたアメリカ型民主主義の嚆矢ともいえるでしょう。

　そのようなムーブメントに乗るかたちで講演を開始したエマソンでしたが、帰国から 3 年後の 1836 年、いよいよ第 1 作『自然』を発表します。まず、本文の冒頭を見てみましょう。

Our age is retrospective. It builds the sepulchers of the fathers. It writes biographies, histories, and criticism. The foregoing generations beheld God and nature face to face; we, through their eyes. Why should not we also enjoy an original relation to the universe? Why should not we have a poetry and philosophy of insight and not of tradition, and a religion by revelation to us, and not the history of theirs? (p.35.)

「いまの時代は過去に捉われすぎている。父祖たちの墓を建て、

伝記や来し方をつづり、評論することばかり。旧世代の人間たちは、神や自然と直に向き合っていた。それに比べ、わたしたちは彼らの視線をなぞるだけだ。どうしてわたしたちは宇宙と固有の関係を築こうとしないのか？　どうして直観のままに詩を創り、ものを考えようとしないのか？　なぜ伝統にとらわれているのか？　どうして天啓のままに祈ろうとしないのか？　なぜ昔の出来事にばかりとらわれているのか？」

出だしから強烈なインパクトがありますよね。エマソンの文章って、とても刺激的なんです。というのも、もともと彼は日記をつけていたんですね。そして、いざ講演原稿やエッセイを書こうとなると、その日記からキーフレーズやキーセンテンスを拾い集めて、順に並べる。そうしておいて、フレーズや文章のあいだに生じた「隙間」に新たな文章を加筆してつないでいく。そういう書き方をしていたんですね。ですから、フランクリンの文章と比べると、かなり飛躍が多いように感じます。良く言えば、詩的、ポエティック。悪く言えば、散文なのに話が飛びすぎている。しかし、その文体（形式）が、中身（内容）にとてもよく合っているんですよね。直感に訴えかけてくるような文章が、彼の思想とすこぶる相性がいいんです。

　この引用部分では旧世界（ヨーロッパ）で最重要視される時間の堆積にばかり意識を奪われていること、つまり "retrospective" であることが、まず批判されています。そこから、無批判かつ盲目的に継承される "tradition" に対する非難が続きます。

　エマソンは形式主義に反発して牧師を辞め、旧世界で見聞を広めたのち、ふたたび＜新世界＝アメリカ＞へ帰ってきた人間です。し

かし、出国前と帰国後とで、彼の志向に大きな変化がみられるかというと、決してそうではありません。ヨーロッパから戻ってからも、基本的な路線は変わっていない。それでも、彼の文章には根が生えたような自信がみなぎり、旧世界に対する挑戦状のような趣さえ感じられます。

　歴史や伝統という価値基準をベースにしたところで、新世界では旧世界以上のことは生み出しえません。ヨーロッパを体験したエマソンにとって、そのことは火を見るよりも明らかでした。ですから、逆に＜新世界＝アメリカ＞ならではの利点や美点を見出して、それを新しい思想の指針として打ち出していかねばならなかったわけです。新世界で呼吸をし、ものを考え、それを言語化して発信する、その根拠がどうしても必要だった。旧世界でなく、新世界で生きる理由が。

　では、具体的に、どのようなかたちでアメリカの強みを前面に押し出していったのでしょうか。神や自然と向き合い、宇宙とオリジナルな関係を結び、直観のおもむくままに思索するには、どうすればよいのか。エマソンは次のように言います。

To speak truly, few adult persons can see nature. Most persons do not see the sun. At least they have a very superficial seeing. The sun illuminates only the eye of the man, but shines into the eye and the heart of the child. The lover of nature is he whose inward and outward senses are still truly adjusted to each other; who has retained the spirit of infancy even into the era of manhood. (p.38.)

「実のところ、大人で自然を見られる人間などまずいない。ほ

とんどの人間は太陽さえ見ていない。少なくとも、目にしているのはうわべだけだ。大人が目の表面でしか陽光を捉えていないのに比べて、子どもは目や心の深いところで受けとめている。自然を愛するひとは、内的な感覚と外的な感覚とが乱れておらず、お互いにうまく調整が取れている。そういう人間は、大人になっても幼年期の心をもちつづけているのだ。」

自然を前にした大人と子どもとが並列され、後者こそが正しいありかただと語られています。自然と正面から向き合うには、子どもであり続けることが重要だというんですね。これはきわめてアメリカ的な価値観です。

　つまり、時間の堆積から生み出される文化によって「洗練されていること（sophistication）」が重視されるヨーロッパに比べて、「純粋無垢／無知蒙昧であること（innocence）」に価値が置かれている。むしろ、ヨーロッパ的な枠組みから逃れるには、自らのイノセンスを再発見するしかないというわけです。旧世界（大人の国）では不可能なことも、新世界（子どもの国）なら可能だというんですね。エマソンは、そのように従来の評価基準を転倒させることで、アメリカ固有の価値観を見出していったんです。

　では、個々人が子どもの状態へ還っていくには、具体的にどのようにすればよいのでしょうか。エマソンは文字通りに自然へ帰れと説きます。

In the woods, we return to reason and faith…. Standing on the bare ground, —my head bathed by the blithe air and uplifted into infinite space, —all mean egotism vanishes. I become a transparent eyeball;

I am nothing; I see all; the currents of the Universal Being circulate through me; I am part or parcel of God. (p.39.)

「森に入ると、わたしたちは理性と信仰とを取り戻す。（中略）裸の大地を踏みしめ、心地よい大気におおわれた頭を無限の空間へともたげる。すると、卑しい利己主義はあとかたもなく消え去り、わたしは一個の透明な眼球になっている。何者でもないわたしには、すべてを見渡すことができる。普遍的な存在がわたしのなかを絶えず巡っていく。わたしは神の一部になる。」

エマソン『自然』でもっとも有名な箇所です。静謐な思索から「交感（correspondence）」へと至るプロセスが詩的な表現で語られていて、翻訳していると、どこか違う次元へ飛翔していきそうな雰囲気さえあります。合理・実利性に満ちたフランクリンの文章とは対照的な語り口ですよね。

　ヨーロッパには古代ギリシャ・ローマ時代にまでさかのぼる森林破壊の歴史があります。多くの都市は過剰な伐採によって築かれ、必要な木材を確保してきたわけです。いわば、近代以降のヨーロッパでは、自然はつねに瀕死の状態にあった。もちろん、アメリカでも、とりわけ19世紀半ばからは「**マニフェスト・デスティニー（明白なる運命）**」というスローガンで正当化された開拓運動が拡大し、各地で深刻な森林破壊が引き起こされることになります。それでも、第1回でもふれたように、アメリカはとにかく国土が広大ですから、まだ入植者たちの「手つかず」の土地が多かった。エマソンはそこに無限の可能性を見出したわけです。アメリカだからこそ残されている自然に身をひたすことで、本当の理性や神との関係

が見えてくる。そう主張するんですね。

　そして、もっとも注目すべきエマソンらしさが出ているのは、"I become a transparent eyeball" というところです。森のなかへ入ることで理性や信仰が徐々に回復すると、最後には「一個の透明な眼球」としての「わたし」だけが残るというんですね。何の前触れもなく、いきなり「わたし」が「眼球」になってしまうので、読み手としては少なからず当惑してしまうかもしれません。

　エマソンが生まれたアメリカを覆っていたのは、第2講でも見たように、フランクリンに代表される合理・実利精神でした。しかし、フランクリン以前のアメリカには、ピルグリム・ファーザーズたちの極度に禁欲的かつ潔癖な精神性が色濃く残っていました。フランクリンが強調した合理・実利主義は、極端な**ピューリタニズム**（Puritanism）に対するオルタナティブの提示でもあったわけです。いわば、厳格な宗教的枠組みから、人間を解放する思潮的な変動でもあったんですね。

　しかし、時代が下るにつれて、フランクリン流の合理・実利主義に対してさえ、人々は息苦しさを感じるようになります。というのも、そこから生まれた**近代資本主義**は、もっぱら自己の利益追求を推奨しながら、一方で、その成果と個人の存在価値とを同一視するような危険性を孕んでいたからです。市場に対して過剰な価値が置かれるようになると、セルフメイドをしない（もしくはそれが報われない）人間に対するフランクリン流の視点が無意識のうちに内面化されてしまいます。そうなると、人々は否が応でも自他の差異にばかり目が向くようになり、自家中毒ならぬ「**自我中毒**」に陥ってしまいます。

　それでも、社会の体制自体に変化が起こらなければ、多くの人々

は同じレールの上をひた走らざるをえません。その結果、自我中毒で窒息しかけているにもかかわらず、他者とのあいだに屹立する壁はますます高くなる一方です。そんな悪循環がさらなる悪循環を生み、自己の内面には「普遍的な存在」どころか、ますます濃縮された自我が循環するばかりです。

エマソンは軸足をずらすことで、自我中毒からの解放を起こそうと訴えているんですね。人間の打算が幅を利かす合理・実利主義とはまったく別のスケールを内包し、悠々と進化を遂げつづける自然。その自然を人間のスケールに押し込めることで分節し、合理的かつ客観的な観察対象としてきたのが**近代科学**です。だとすれば、エマソンが表現しようとしているのは、分節を誘発する科学的事象ではなく、統合を目指す「**原始主義**（primitivism）」だといえるでしょう。

自然の懐に抱かれている自己を自覚し、それによって活性化される自己の内なる自然（nature＝本性）を認識せよ。それが、エマソンの主張です。そうすることで、自己を幽閉し、他者を他者たらしめている堅牢な檻はゆっくりと融解し始め、最後には自然をまなざし、自然にまなざされる最小単位としての眼球だけが残るのだと。そして最終的には、文明という人間中心のフィルターを外すことで、自然そのものと融解しあい、結果として、自然を統括する神とさえ一体化し始める、そういうわけなんですね。

エマソンはこのプロセスを通して、世俗的にはヨーロッパ的価値観からの脱却を試みると同時に、アメリカ国内における前世代の思潮を乗り越えようとしています。そして、非世俗的な水準では、自然と一体化することで、自己のフレームをも越えよう（transcend）としているんですね。彼の思想が超絶・超越主義と呼ばれる所以です。

それでも、疑問は残ります。神の一部と化した自己はどうなるのか。結局は、神との主従関係に帰してしまうのでしょうか。それでは、キリスト教の教義とさほど変わらないではないか、と。エマソンは「統一された自然、つまり多様なままで統一された自然（"the unity of Nature, —the unity in variety" p.59.）」に到達するのだといいます。合理的に限定された枠組みに収まるのではなく、多様なかたちで多様なありかたをしているものがひとつにまとまっていく。多様な存在を多様なままに潜在性（ポテンシャル）として包摂しているのが自然であり、神はそのような自然／本性にこそ姿を現すのだという認識ですね。望みさえすれば、誰もが神の一部になりうるわけです。キリスト教のような一神教の文脈で考える限り、エマソンのような思考様式はまずありえません。ですから、さきほど原始主義という言葉を用いたように、文明から自然への遡上を重ね、森羅万象の根源のような場所を大文字の "Nature" として表現しているんですね。すべての人間がそこに一体化しうる＜大自然＝神＞としての "Nature" です。

　では、なぜそのようなことが起こりうるのか。エマソンの文章は飛躍が多いことでも有名です。しかし、神と自然との関係については、念入りに詳細を語っています――「自然のもっとも崇高な務めは、神の現れとして存在することなのだ（"the noblest ministry of nature is to stand as the apparition of God" p.79.）」。自然自体が神の顕現として存在しているのだから、そこで自他の境界を溶解させた我々が＜自然と一体化＝神と一体化＞するのは当然のことなのだ、と。そしてさらに、『自然』の最終部へ至ると、背中を押すようなエマソンの筆致はさらに勢いを増していくのです。

Build therefore your own world. As fast as you conform your life to the pure idea in your mind, that will unfold its great proportions.

(p.81.)

「だから、あなた自身の世界を築くのです。こころに宿る純粋
　な思念。その赴くままに生きることで、あなた自身の大きな可
　能性が開けてくるのです。」

ここで使用されている "pure idea" は、アメリカ的な価値が見出され
た "innocence" の言い換えでしょう。エマソンの思想の根底にある
のは性善に対する強烈な信頼です。どんな人間も善なるものを内に
宿している。見つからないとしたら一時的に曇っているだけなのだ
から、神の現れである自然に身を浴しなさい。そうすることで、秘
められた善性が引き出され、本人さえ気づかない無限の可能性が開
けてくるのだというわけです。それが超絶・超越主義の根本にある
思想です。のちほど本文にもふれますが、エマソン流の「**自己信頼**
〈self-reliance〉」は、アメリカの "nature" のみならず、アメリカ人と
しての "innocence" という二層の土壌に根付いているのです。それ
が、悲劇的な事象をも含む私的体験から出発したエマソンが、意志
の現れとして確立した彼なりの楽観論（オプティミズム）だったのでしょう。

　さらに、その超絶・超越思想を公的領域へ敷衍することで成し
遂げられたのが、キーワードの 2 つ目 "Intellectual Declaration of
Independence"。アメリカの「**知的独立宣言**」です。『自然』を発表
した翌年の 1837 年、エマソンは**マサチューセッツ**州の**ケンブリッ
ジ**で「アメリカン・スカラー〈The American Scholar〉」と題する講演
を行います。『自然』は力強さを秘めつつも、いささか神秘的な趣
のある文章でした。が、「アメリカン・スカラー」は「宣言」とさ

え呼ばれるだけあって、高らかな響きがあります。さっそく本文の冒頭を見ていきましょう。

Our day of dependence, our long apprenticeship to the learning of other lands, draws to a close. (p.83.)

「わたしたちはいまだ独立していませんでした。長いあいだ、諸外国の学問に隷従していたのです。しかし、それもいよいよ終わりです。」

「第二の独立宣言」に貢献したジェファソンが亡くなってから11年が経過しています。それでも、エマソンからするとアメリカの学問はいまだ独立を勝ち得ていないというのです。ヨーロッパの学問がたどった轍の上を歩くことだけがアメリカン・スカラーの務めではないのだ、と。

　エマソンに言わせると、本来、書物というものは、自然（nature）と個々人の本性（nature）とが呼応しあうことで生み出されます。そして、読み手もそれらのネイチャーの交換／交感に参加しうる、きわめて民主的な場です。が、従来型の学者は、書物をそれ自体で独立した存在として捉え、忌避すべき「本の虫（bookworm）」に堕してしまっている。エマソンはそのありようを婉曲的に揶揄しつつ、アメリカン・スカラーが目指すべきは、より本質的な「考える人間（Man Thinking）」なのだと論じます。

Books are the best things, well used; abused, among the worst. What is right use? What is the one end which all means go to effect? They

are for nothing but to inspire…. The one thing in the world, of
value, is the active soul.   (p.88.)

「善く用いられるならば、書物は最高のものでしょう。しかし、
悪用されると、最悪のものになってしまいます。では、まっと
うな用い方とはどのようなものなのでしょうか？　あらゆるプ
ロセスが到達すべき唯一の狙いとはどこにあるのでしょうか？
それはひとえに、読み手をインスパイアすることです。（中略）
この世でたったひとつ価値あるもの、それは活き活きした魂な
のです。」

実にエマソンらしい語りです。書物の最大かつ唯一の目的は、読ん
だ人間をインスパイアすることだ、と。"inspire"（インスパイア）と
いう単語は、分解すると "in" + "spire"。"spire" の語源は "spirit"（ス
ピリット）ですから「内側にスピリットを入れる」。"spirit" も元来
は「神の息」という意味なので、字義通りに、生きる力を育んでく
れるもの、それが書物だというんですね。そして、我々にとってな
によりも大事なのは「活き活きした魂」で、それは本来ならば誰し
もが内面に宿しているものなのだと論を展開するのです。
　それでは、アメリカン・スカラーはどのようにしてアメリカでし
か遂行しえない知的探究を推し進め、ヨーロッパからの「知的独
立」を勝ち取ればよいのか。エマソンは次のように語ります。

The world is nothing, the man is all; in yourself is the law of all
nature, and you know not yet how a globule of sap ascends; in
yourself slumbers the whole of Reason; it is for you to know all; it is

for you to dare all. (pp.103-104.)

「世界にはなにもありません。が、人間にはすべてが備わって
います。あなたの内側には自然界の法則が宿っているのです。
なぜ樹液のしずくが樹幹を上っていけるのか、いまはまだその
仕組みがわからないでしょう。けれど、あなたの内側には大い
なる理性が手つかずの状態でまどろんでいます。さあ、これか
らはあらゆることに意識を向けていきましょう。なにも恐れず、
あらゆることに挑んでいくのです。」

『自然』では、まず外的世界としての自然と神との関係性が説かれ、
そこから内的世界に目を向け、理性と信仰とに基盤を置いた交換／
交感が語られていました。しかし、ここでは「アメリカン・スカ
ラー」の内的世界に重心が置かれ、『自然』とは逆の方向からの交
換／交感が促されています。「アメリカン・スカラー」の内面に眠
る＜大いなる理性＝自然界の法則＞を呼び覚ますことで、自然との
相互作用が促進されるのだ、と。そうすることで、本人さえ気づか
なかった理知が目を覚まし、開かれた外界と内界との呼応によって
未知の自然／本性が再発見されるというわけです。
　書物で自己を活性化させた人間とアメリカのネイチャー（自然）
とが出逢うことで、覚醒する内側のネイチャー（本性＝善きもの）。
エマソンが旧世界へのカウンターとして打ち出した新世界の学者像
は、アメリカにとってあまりに都合のいい偶像に感じてしまうかも
しれません。それでも、ヨーロッパの模倣でも亜流でもない、アメ
リカ流の知性を育むためには、これほどまでに大きな転換が必要
だったのです。まさにエマソン自身が、アメリカを代表する「考

える人間」として、誰にも到達しえない思索を展開する必要があった。だからこそ、講演「アメリカン・スカラー」はのちに「知的独立宣言」と評され、今日まで無数の知性を鼓舞し続けているのです。

　エマソンは自身がきわめてユニークな「アメリカン・スカラー」として、そこからさらに論考を発展させます。4年後の1841年、彼の代表作とも呼ぶべきエッセイ「自己信頼（Self-Reliance）」を発表し、アメリカの民主主義と**個人主義**とを連結させようとします。論の起点は、『自然』や「アメリカン・スカラー」と同じように、忘れられがちな個人の内面に置かれています。

In every work of genius we recognize our own rejected thoughts; they come back to us with a certain alienated majesty. Great works of art have no more affecting lesson for us than this. They teach us to abide by our spontaneous impression with good-humored inflexibility then most when the whole cry of voices is on the other side. (p.176.)

「天才の作品にふれると、世間からは拒絶されてきた自分の考えが、そこに内包されていることに気づく。わたしたちは疎外されてきた威光とともに、自分自身の考えを取り戻すのだ。これほど心に響く教えは、いかに偉大な芸術作品といえども、ほかにはない。たとえ大多数が非難の声を張り上げても、上機嫌に受け流しながら、自らの思いは決して譲らない。そのことを教えてくれるのだ。」

コントラストを描く語彙が最終的には等価とされたり（every work of

genius = our own rejected thoughts)、併存を勧められたり（good-humored inflexibility）、そのような巧みなレトリックで、個の内面から湧き上がる思いこそ真理であることが語られています。『自然』でも「アメリカン・スカラー」でも論述の根底にあった、性善的な思考様式は健在です。エマソンの思想の大きな柱は、やはり個の内面に対する篤い信頼なんですね。しかし、このエッセイでは、その信頼が自然でも学問でもない方向へ作用するプロセスが論じられています。

Trust thyself: every heart vibrates to that iron string. Accept the place the divine providence has found for you, the society of your contemporaries, the connection of events.　　　　　　(p.177.)

「まず自分自身を信用すること。すると、あなたの鉄製の弦が震え、あらゆる心がそれに共振する。神の御心があなたのためにあてがわれた場を受け容れること。共に同時代を生きる人間たちの社会を、そしてさまざまな出来事の連鎖を、すべて受け容れること。」

一文目が少しわかりにくい表現になっていますが、個々の自己信頼が他者の内面へと伝播する様子が描かれています。あなたが自分自身を信頼する、自己信頼が生起すると内側でなにかが震える。ここでいう震えとは「アメリカン・スカラー」でも見たように、魂が活き活きすること、活性化することですね。その活性化に感応して、ほかの人たちの内面も活き活きとしていく。それが "vibrate" という単語で表されているんですね。

　実際、生理学の分野でも実証されているように、人間にはミラー

ニューロンと呼ばれる神経細胞があって、他者の行動を脳内で鏡のように写し取ろうとします。ですから、エマソンがここで述べているようなことは、往々にして起こりますよね。活き活きしているひとといっしょにいると、自分も活き活きしてきますし、悲しんでいるひとといっしょにいると、やはりこちらも悲しくなってきます。エマソンはそこから押し広げて、自身を信頼しているひとといると、自分も自身が信頼に足る人間であるかのように思えてくる、といいます。そして、その「自己信頼」の伝播を拡張していくことで、我々にとっての未知の領域、さらには人生上の困難や不幸としての「混沌（Chaos）」や「暗闇（the Dark）」をもくぐり抜けることができるのだ、と説くのです。たび重なる悲境を生き抜いた、エマソンならではの実感がこもった語り口です。

　エマソンが論じる「自己信頼」は、あくまで個人の内面からしか生み出しえないものです。しかし、社会や体制から降りてくるトップダウンではなく、あくまで個の内側から湧出するボトムアップ型の信頼だからこそ、他者信頼にも接続する可能性を有するわけです。

　それに加えて、エマソンが展開する内面の連鎖は、個人主義と民主主義とが必然的に連係しうる議論にもつながるように思います。そして、その際も必要とされるのは、アメリカならではの価値が置かれる「子どもや赤ん坊、さらには獣たち（children, babes, and even brutes）」です。善なる「自然」は、彼らの顔や振る舞いに姿を現し、我々を導いてくれるというのです——「幼な心はどんな人間にも従わないが、幼な心には誰もが従うのである（"Infancy conforms to nobody; all conform to it" p.177.）」。この「幼な心（infancy）」という語は、大人の国（ヨーロッパ）と子どもの国（アメリカ）との価値観を転倒させた「イノセント」の概念に含まれる表現と考えてよいで

しょう。『自然』においても、外的ネイチャー（自然）との交換／交感によって、イノセントな内的ネイチャー（本性＝善なるもの）が露出したように、ここでは個の自己信頼から、他者のイノセントな自己信頼が生み出されているんですね。それらの伝播によって個々に内在する「直観（Intuition）」の存在を自覚することさえ出来れば、あらゆる存在に「共通の源泉（common origin）」を基盤にすえて、「混沌」も「暗闇」も乗り越えられる。そういうわけです。こうして、信頼の伝播を語ってきたエマソンですが、最後は次のような言葉で論を閉じています。

Nothing can bring you peace but yourself. Nothing can bring you peace but the triumph of principles.　　　　　　　　　　(p.203.)

「あなたの心に平和をもたらすことができるのは、あなた自身をおいてほかにいない。あなたの心に平和をもたらすのは、真理を享受すること以外にないのだ。」

それぞれの文章前半がまったく同じかたちで反復され、締めくくりに相応しい強烈な印象を残しています。また、文章後半も表現の皮相こそ異なるものの、内容はほぼ同義といってよいでしょう。つまるところ、自己から他者への伝播でさえ、ひとりひとりが「自己信頼」を生起させることからしか始まらない、と。そして、その「自己信頼」は「真理（principle）」からしか生み出されないというんですね。ここで使われている「真理」とは、個々のネイチャー（本性）を総体的に表現している言葉です。エマソンは、ここで論の足場を再確認しているんですね。彼の文脈で捉えられる民主主義（マ

クロの視点）が単なる理想論ではなく、個人主義としての「自己信頼」（ミクロの視点）に根を張ったものであることがよくわかります。「アメリカン・スカラー」でも語っていたように、「樹液のしずくが樹幹を上って」いくように、彼にとっては、どんな社会改革もネイチャー（自然）と交換／交感する個々のネイチャー（本性）からしか始めようのないもの、始まりようがないものだったのです。

　エマソンの時代になると、新興国家のアメリカでも、徐々に社会構造上の問題が表面化しつつありました。人々は労働組合を組織したり、女性参政権を求めて運動を展開したり、社会の変革を求めて、各々の持ち場で権利を主張し始めていました（それでも、奴隷制の問題は放置され続けました）。エマソンが徹底して個にこだわったのは、そのような時代背景も深く関係しています。彼は彼なりに、自身のネイチャー（本性）に応答しながら、社会と個人との関係性について考え続けていた。そして、自らの良心を裏切ることのない地平で、個から始まる伝播について語ったのです。

　そんなエマソンも、従来の法律から一段と厳格化された**逃亡奴隷法**（1850 年）が法制化されると、1854 年に「逃亡奴隷法（The Fugitive Slave Law）」と題する講演を行い、法案の成立に加担した議員を非難します（以下の引用のみ、テキストは *Miscellanies*, AMS Press, 1968.）。

He only who is able to stand alone is qualified for society....
Why have the minority no influence? Because they have not a real
minority of one.　　　　　　　　　　　　　　　　　　(p.235.)

「孤立を恐れない人間だけが、社会に参画する資格がある。（中

略）どうして少数派には影響力がないのか。ひとりという本当の少数派がいないからだ。」

のちにアメリカ国内を大きく二分することになる**奴隷制**の問題でも、やはりエマソンは個人の内面を最優先すべき源泉として捉えています。とりわけ "a real minority of one" という箇所などは、まさしくエマソンにしか表現しえない深みのあるフレーズでしょう。個人はあくまで「ひとり」に過ぎません。しかし、だからこそ数などには左右されない強みが存在します。『自然』でも「アメリカン・スカラー」でも「自己信頼」でもそうであったように、まずはひとりひとりが自らのネイチャー（本性）に出逢うことを最重要視すべきなのだというわけです。そうして初めて、社会の構成要員たる資格が生まれるのだ、と。

　そして、人間の「自由」という、対象領域が全人類にまで突き抜けていくような大問題に対しては、個と個とが「協働（co-operation）」することで初めて解決の糸口が見出せるのだと説いて、筆をおくのです。実にエマソンらしい、自らの源泉に忠実な地平の開き方だと思います。

　彼の思想はその特質上、全地球レベルでの**環境問題**に対する運動や**ネイチャーライティング**（環境文学）、**エコクリティシズム**（環境批評）と非常に親和性が高く、時代を超えて再評価されつつあります。グローバル時代の問題がいかに大規模なものであったとしても、大胆なパラダイムシフトを根底で支えるのは、個々人の小さな営みや意識の変革、倫理の再構築ですからね。エマソンの思想はいまを生きる我々に対しても、その懐の奥行きをますます見せつけてくれるのではないかと、これからも期待するところが大きいです。

次回はエマソンの弟子筋にあたるヘンリー・デイヴィッド・ソローを取りあげます。エマソンが直観に訴えながらも、修辞を尽くしてネイチャー（自然／本性）の重要性を語り続けた「理論家」だとすれば、ソローはそれを自らの行動で示し続けた「実践家」です。これまで聴いてきたエマソンの「声」を通奏低音としてソローの「声」に耳をすませることで、両者の新たな可能性が開けてくるのではないかと考えています。

参考訳

エマソン『エマソン論文集（上・下）』酒本雅之訳（岩波文庫、1972-73年）

推薦文献

堀内正規『エマソン──自己から世界へ』（南雲堂、2017年）

論点

(1)　今日、エマソンの文章はアメリカの「自己啓発本」に頻繁に引用されたり、**反知性主義**」と結びつけて捉えられたりすることがあります。それはなぜでしょうか。「知性（intellect）」や「知能（intelligence）」という概念をキーワードに、その理由を考えてみましょう。

(2) エマソンから大きな影響を受けた日本の文学者に**北村透谷**
（1868-94）や**武者小路実篤**（1885-1976）らがいます。エマソ
ンと彼らの思想的な変遷を実人生と比較しながら考えてみま
しょう。

第4講　ヘンリー・デイヴィッド・ソロー

(Henry David Thoreau, 1817–62)

KEYWORD

self-reliance
non-conformist

　早いもので今日は第4講、**H・D・ソロー**です。アメリカの独立宣言から2–3世代ほど時代を下ることになりますね。

　前回の最後に、どちらかといえばエマソンは理論家、ソローは実践家という話をしました。エマソンが環境問題に対して我々にいまなお旧くて新しい知恵を授けてくれるように、ソローもまた権力や体制に向き合うための作法や倫理を、彼自身の人生で示し続けてくれています。キーワードにもあるように、師のエマソンから強固な「**自己信頼**（self-reliance）」の土台を継承し、師をも凌駕する「**個人主義者、不服従の人**（non-conformist）」として、自己の思想を現実の社会と激しく対峙させた思想家・文学者です。

　その具体的なプロセスを見る前に、まず伝記的な事実を確認しておきましょう。ソローも、エマソンと同じように決して裕福ではなかったものの、ハーバードへ進学します。在学時の成績こそすぐれたものではありませんでしたが、ギリシャやラテンなどの古典をは

ヘンリー・デイヴィッド・ソロー
（1817-62）

じめとして、興味をもった科目は徹底して学んだようです。ちょうど出版されたばかりのエマソン『自然』も夢中で読み、のちに初版本を入手して、生涯の座右の書としています。

　そして、大学を卒業すると、定職には就かず、いよいよ彼独自の人生を歩み始めます。小学校で教えたり（体罰に反対して辞めました）、兄と私塾を運営したり、実家の鉛筆製造業を手伝ったり、さらにはお金が必要となると一時的に肉体労働に従事したり。制度化された文明社会に暮らしながらも、近隣のひとたちから見ると、きわめて風変わりで自由な生活を送っていたといいます。

　それからしばらくして、同じマサチューセッツの**コンコード**近辺に住んでいた超絶・超越主義者（transcendentalist）たちの活動に加わると、機関誌の編集や執筆に携わるようになりました。1841 年からは 2 年ほどエマソンの家に住み込み、家事や庭仕事などを手伝います。日本でいえば、ちょうど明治時代の「書生」兼「弟子」のようなポジションですね。

　ソローは 14 歳年上のエマソンとの生活を経て、彼の蔵書や思想から決定的な影響を受けたようです。**ニューヨーク**での都市生活を経験したのち、一転、アメリカ史上に残る伝説的な試みに乗り出します。コンコードの町から 2 - 3 キロほど郊外に位置する**ウォールデン湖**のほとりに自らの手で小屋を建てると、そこで**自給自足**

の生活を始めたんですね。1845 年の 7 月 4 日、アメリカの独立記念日に開始された実験的な生活は、2 年 2 か月ほど続けられました。そのときの記録をまとめたものが彼の代表作『ウォールデン』(*Walden: or, Life in the Woods*, 1854) です。

　ソローの文章は、エマソンに負けず劣らず、読み手に強烈な印象を残します。言いたいことは非常に簡素でありながらも、骨組みが太く、修辞に富んでいるんですね。ソローもエマソンの勧めで日記をつけていたんですが、文章作法がまったく異なっています。そこに彼の個性が出ています。さっそく原文を見ていきましょう。テキストは『森の生活』(神吉三郎訳、ワイド版岩波文庫、1991 年) と『市民の反抗 他五篇』(飯田実訳、岩波文庫、1997 年) です (*Walden: or, Life in the Woods and "On the Duty of Civil Disobedience"*, Signet Classic, 1999)。

　実践家のソローらしく、作品冒頭には「経済 (Economy)」と題する章が置かれ、小屋の材料費や食費の詳細を述べながらも、ウォールデンで生活する目的を語っています。

My purpose in going to Walden Pond was not to live cheaply nor to live dearly there, but to transact some private business with the fewest obstacles; to be hindered from accomplishing which for want of a little common sense, a little enterprise and business talent, appeared not so sad as foolish. (p.14.)

　「わたしがウォールデン池に向かったのは、生活費を安くあげるためでもなければ、高級な暮らしをするためでもない。誰にも邪魔されずに、いささか個人的な仕事にとりかかりたいと考えたのだ。わずかな常識や冒険心、実務的なスキルがないから

という理由で、それを成し遂げられないのは、哀れとまではいかなくとも、バカバカしいことに思えた。」

　まず、もっともらしい理由を並べながらも、どちらも否定で反転させ、素朴な望みを吐露しています。この論調で語られると、読み手は "some private business" っていったいなに？ と思わず身を乗り出しながら、自分自身にとっての「個人的な仕事」ってなんだろうと内省的な思いにも至ります。自らの感情が、外向きと内向きの両方に揺り動かされるんですね。ソローはそこで、外側へ乗り出された身にちくりと皮肉を加えつつ、同時に内側の思いを誘い出すように手招きもしているわけです。

　しかし、そうはいっても、ソロー自身もにわかにウォールデンでの暮らしを始めたわけではありませんでした。彼もまた文明社会のただなかに生きる身として、「個人的な仕事」の時間を確保するために、彼なりの試行錯誤を繰り返していたんです。定職に就かず、あてどなく流されているように見えた姿はあくまで表面上のものに過ぎなかった。彼に言わせると、もっとも「個人的な仕事」に適していたのは「日雇い労働者（a day-laborer）」だったそうです。なぜなら、1 年の 30 - 40 日くらい働けば食うには困らないし、日が暮れてからは自分のしたいことに集中できるからだ、と。一聴すると、あまりに極端な思考プロセスのようにも感じますが、それに続けて彼がたどり着いた生活の指針に耳をすませると、腑に落ちるところがあります。

In short, I am convinced, both by faith and experiences, that to maintain one's self on this earth is not a hardship but a pastime, if we will live simply and wisely; as the pursuits of the simpler nations are still the sports of the more artificial. It is not necessary that a man should earn his living by the sweat of his brow, unless he sweats easier than I do.   (p.56.)

「端的にいってしまえば、シンプルに、そして思慮深く生きるならば、この地上で生きていくことは苦難ではなく、むしろ愉しみなのではないか。信条からいっても、実感としても、わたしはそう信じて疑わない。それは、よりシンプルに暮らす民族の営みが、今日なお、巧みな遊猟であることを見てもわかる。ひとがひとり生きていくのに、額に汗して働く必要はないのだ。汗っかきである場合は別として。」

まるで話し言葉のように挿入句が多く用いられ、回りくどいようにも感じられますが、"faith and experiences" や "simply and wisely" といった肯定的な表現は語を重ねることで強調し、文章単位でも "as the pursuits 〜" とすぐに例を示すことで、主張を明白にしています。また、最後の "unless 〜" ではユーモアを添えることも忘れず、エマソンとはまた違った味わいがあります。文体ひとつ比べても、師弟間の個性が露呈していますし、ひいてはそれぞれがどのようにして文明との距離や関係を捉え直そうとしていたかが見えてきます。

　また、生きる指針の拠り所として「よりシンプルに暮らす民族（the simpler nations）」を挙げたソローの脳裏には、先住民アメリカ・インディアンの存在がありました。彼は生涯を通してマイノリティへの共感を抱き続け、実際にフィジカルな支援も寄せているんです。事実、「逃亡奴隷法」が発効されたのちも、逃亡を幇助する活

動「**地下鉄道**（Underground Railroad）」に加わると、奴隷たちを自宅へかくまったり、カナダへの脱出を手助けしたりしています。自他を問わず、ソローは自由な生き方を拘束する事象に対しては、法律であれ制度であれ、徹底して抗わずにはおれなかった。そうすることでソローが解放したのは、おそらく他者だけではなかったと思います。自分らしい人生を歩みだす他者を目の当たりにすることで、ソローもまた彼自身の足かせから解放されていたのでしょう。そのことは、「最悪なのは自分自身を奴隷として扱うことだ（"worst of all when you are the slave-driver of yourself" p.4.）」という決意表明さながらの言葉にも表れています。

　先住民のアメリカ・インディアンについても、ソローは尋常ならざる関心を抱いていました。彼らをテーマにした著述さえ構想していたくらいで、そのために記録を録ったり、資料を整理したりしていたんですね。残っているだけでも 12 冊ものノートが確認されていますから、中途半端な熱量ではないことがわかります。

　初めのうちは、アメリカ・インディアンの矢じりを拾ったことから興味を抱き、丹念に観察したり、収集したりといった、あくまで博物誌的な地平からの歩みでした。しかし、後年になると、狂信的な「西漸運動」によって迫害と虐殺の憂き目にあっていた彼らの境遇を理解し、自らの思い込みを徐々に修正していきます。博物誌的な憧憬の対象としてのみならず、歴史・社会的な背景を有する生身の人間として、彼らを理解するようになるんですね。そして最終的には、彼らが育んできた自然との共生と、入植者たちが持ち込んだ文明とのはざまで、よりよい針路を探りあう同志として向き合い、何度も対話を重ねています。

　逃亡奴隷にしてもアメリカ・インディアンにしても、マイノリ

ティに対するソローの姿勢には、独りよがりな正義がまったく感じられないんですね。というのも、彼にとってなによりも重要だったのは、正義という相対的なものではなく、個の絶対的な自由だった。個人が、もっともその個人らしく、つまりネイチャー（本性）に基づいて存在できているか否か。エマソンの思想を継承したソローの関心を捉えて離さなかったのは、自然と本性との二種のネイチャーの調和だったわけです。彼はそのことを『ウォールデン』でも語っています。

> I desire that there may be as many different persons in the world as possible; but I would have each one be very careful to find out and pursue *his own* way, and not his father's or his mother's or his neighbor's instead....We may not arrive at our port within a calculable period, but we would preserve the true course. (p.57.)

「できるだけ多くの人間が、できるだけ多様に生きていってほしい。わたしがこの世界に望むのはそのことだ。しかし、それぞれの人間が自分だけの道を探り当て、実際に歩いていくにあたっては、慎重を期すことを忘れずに。個々人の道は、父親のものでもなければ、母親のものでもなく、隣人のものでもないのだから。（中略）わたしたちは予定どおりには港へたどり着けないかもしれない。それでも、正しい針路を見失うことはないだろう。」

19世紀の中盤に書かれたとは思えないほど、いま読んでも何ら古びたところを感じさせない名文です。とりわけ、"*his own*" をイタ

リックで強調しているところには、ソローの信念が表出しています。多様性とは「自分だけの」集合体としてしか存在しえませんからね。さらに、「できるだけ多様に」とはいっても、各自が無理をしてばらばらになるのではなく、「慎重を期す」。つまり、外的他者に強制されずに、内なるネイチャーの「声」に従いさえすれば、この世界は必然的に多様になっていくんだというんです。

　情熱あふれる観察者として、ソローの起点にはつねに外的ネイチャーとしての自然がありました。自然界には一本たりとも同じ樹木は存在しないし、一匹たりとも同じ虫は存在しない。同じように、我々人間だって本来ひとりひとりに固有の内的ネイチャー（本性）をもっている。エマソンが言うところの「統一された自然、つまり多様なままで統一された自然」ですね。しかし、理論家のエマソンとは違って、ソローには自然観察者としての経験知がありました。ですから、政府であろうと法律であろうと、内なるネイチャーの働きをないがしろにして、外的他者がなにかを強いてくること自体が、彼には実感として許せなかったんですね。その対象が自分自身であろうと、自分以外の他者であろうと。

　この文章に関してもう一点だけ指摘しておきたいのは、共時的な多様性を謳いながら、同じパラグラフの最終文で通時的な視点をも付加していることです。人生を船旅に喩え、スタートやゴール地点を港に見立てる。比喩としてはごくごくありふれたものです。しかし、時代はちょうどアメリカの鉄道網が急速に整備され始めたころです。より早く、より効率的にといった合理主義が資本主義の論理と直結し、そこから産み落とされた価値観が人間の生き方にさえ影を落としつつありました。その観点からすれば、ソローがウォールデンで試みた自給自足の生活とは、時代性そのものに対する彼なり

の抵抗といえるでしょう。

　そんな時代性にまるで逆行するかのようなソローの主張は、彼の実人生と相まって、いまを生きる我々にも痛切に響きます。内的ネイチャーの針路が多様ならば、そこを歩むペースもそれぞれに多様であって然るべきです。さらには、目標地点としての"port"さえ一律ではないのですから、生きているあいだに到達できないことがあるかもしれません。それでも、そのような結果に左右されることなく、"the true course"に喩えられる自分だけの生き方をキープし続ける。ソローは、共時性のみならず、通時性をも帯びた多様性を謳いあげることで、現代の**メリトクラシー（成果主義）**へと直結する近代資本主義的な世界観を批判すると同時に、生きるプロセス自体に価値を見出しているのです。いわば、彼が森に入った理由として語っていた「いささか個人的な仕事」とは、日々の営み自体を「愉しみ（a pastime）」として味わい尽くすことなんですね。ソローは森に入った理由と生きることの本質とを直接的に結び付けて、次のように語ります。

I went to the woods because I wished to live deliberately, to front only the essential facts of life, and see if I could not learn what it had to teach, and not, when I came to die, discover that I had not lived. I did not wish to live what was not life, living is so dear; nor did I wish to practice resignation, unless it was quite necessary.　　　　　(p.72.)

「わたしが森へ入ったのは、地に足をつけて生きたいと思ったからだ。人生の本質的な問題だけに向き合い、そこからなにか学びとれるものがないかどうか、それを見定めたかった。いざ

死にゆくときに、自分は生きてこなかったと気づく。そんなことは避けたかった。偽りの人生を生きたくはなかったのだ。生きることはそれだけ大事だったから。だからといって、どうしても屈服しなくてはならないというのでなければ、あきらめたくはなかった。」

"wished to" がいくつもの動詞にかけられ、たたみかけるように自らの望みが列挙されています。まさに、ソローの臓腑からの叫びがこだまするようです。当時のアメリカ東部では、現代にも直結する社会制度や仕組みが急速に整いつつありました。そのような文明繁栄のただなかで、ソローはあえて引き算に徹します。そうすることで "the essential facts of life" と向きあおうとする彼の作法は、今日ますます有効であるように思います。

　自分が活き活きと生きていくうえで、絶対に欠かせないものとは何なのか。森に入り、モノと情報の洪水から逃れてなお、これだけは持っていかないでと願うものはいったい何なのか。ソローが必死に見極めようとしているのは、"what was not life" ならぬ "what was real life" なのでしょう。そして、それを自分のものとするために「シンプルに、シンプルに、シンプルに！（"Simplicity, simplicity, simplicity!" p.73.）」と自戒をこめて連呼します。非常に強烈な印象を残す表現で、筆が走っていますよね。見た目にはまくし立てているように感じられるソローですが、彼の筆致のすぐれている点は、大変に抑揚が効いていて、強弱や遅速の幅がすこぶる大きいところにあります。とりわけ「孤独（loneliness）」と題する章には、そのタイトル通り、これらの「声」とは打って変わった対照的な響きがあります。

What do we want most to dwell near to? ....to the perennial source
of our life, whence in all our experience we have found that to issue,
as the willow stands near the water and sends out its roots in that
direction. This will vary with different natures, but this is the place
where a wise man will dig his cellar.   (pp.106-107.)

「わたしたちがもっとも住んでみたいと思うのは何の近くか？
（中略）尽きることのない生命の源泉。その近くに暮らしたい
のである。わたしたちはあらゆる経験を通して、そこから生命
が湧き出ていることに気がついた。ちょうど柳が岸辺に育ち、
水源のほうへ根を伸ばしているように。これは個々人の本性に
よって異なるので、決して一様ではない。だが、思慮深い人間
が自らの地下室を掘り進めるのは、そこ以外にないだろう。」

ここで描かれる柳の木とその根っこ、そして水源との関係性は、い
かにも自然観察者ソローにふさわしい比喩でしょう。しかし、さき
ほど見た二の矢三の矢を放つような調子からはがらりと変わって、
エマソン流の神秘性さえ感じられます。また、「生命の源泉」や
「地下室を掘り進める」という喩えは、のちの**夏目漱石**（1867-1916）
や**村上春樹**（1949-）がイメージする個人（特殊）と普遍との関係性
をも彷彿させます。
　エマソンの教えを全身で継承しながらも、内に宿る自然観察への
情熱や博物誌的な関心をも決して絶やさなかったソロー。彼はとき
に苛立ち、ときに不平を語りながらも、ウォールデンでの試みのひ
とつひとつを、ネイチャー同士の交換／交感に付随するプロセスと

して、万遍なく味わおうとしていました。『ウォールデン』自体も、彼の実践と同じように、尽きることない源泉さながらの作品です。それでも、最終章には、やはりソロー固有の力強い「声」が高らかに響きわたっています。

> Say what you have to say, not what you ought. Any truth is better than make-believe…. However mean your life is, meet it and live it.
>
> (p.259.)

> 「好ましいとされることではなく、言わねばならぬことを言え。体裁をそろえるよりは、本当に思っていることを話すほうがずっといい。（中略）どんなにさもしい人生でも、逃げずに、それを生き切るんだ。」

ここまで読んできて気づかれたかと思いますが、『ウォールデン』はいわゆる「アウトドア本」のフレームにはまったく収まらない、不思議な作品なんですよね。外的ネイチャーと一体化したソローが、掘り当てられた油田さながらに、自由闊達に語り出す。作中のそこかしこにそんな場面が見受けられます。そして、それがまた「効く」んですよね。日常の些事をマシンガンのように語りながら、どすんと腑に落ちる大砲をも撃ってくる。なかなかほかの書き手には真似できない、ソローならではの芸当だと思います。語りの射程が、手先や足元といったズームインから、永遠や無限というズームアウトに至るまで、とにかく広範囲にわたっているんですよね。そのコントラストが読み手を大きく揺さぶる。

　この引用部の3文でも、否定と肯定とが繰り返されることで、

62

強調したい肯定部分の威力が一段と増しています。ソローの文章は、「野生（wilderness）」が多分に発露された彼の人生自体も手伝って、放言の乱用と捉えられることがあるんですが、決してそんなことはありません。ポイントになる箇所では、文章が最大限の効力を発揮できるよう、本当によく練られています。

　ここでも、要は外的他者と内的ネイチャーとの競り合いが描かれているんですよね。外的他者がどんなに高圧的であろうと押し負けるな、ポジショントークなんてやめて本当に自分が言いたいことを言え、思っていることを言えよ、と。そして、それを重ねることで内的ネイチャーが引き出されていく。

　「体裁」と「本当に思っていること」にしても、思考を停止させたまま前者への従属を続けていると、いつのまにか後者がフェードアウトしてしまう。そして従属が自発的な隷従にまで後退すると、最終的には自分自身がなにを考え、なにを望んでいるのかさえ、まったくわからなくなってしまうんですよね。

　仮に、いったんは外発的な「型」を「守」り従うことはあっても、それを「破」り、いずれはそこから「離」れていく。そのような「守破離」のイメージを内的ネイチャーと統合させなければ、いつしか集団の論理に呑み込まれてしまいます。そうなると、自分がもっとも自分らしく生きる起点としての「型」が、終着点と一体化してしまい、「守破離」の「守」の段階でたちまち生気を失ってしまう。受験や就職後のバーンアウト（燃え尽き）はその最たる例といってよいでしょう。

　前回のエマソンで取りあげた文章に「まず自分自身を信用すること（Trust thyself）」というものがありました。字義通りに「セルフ・リライアンス（自己信頼）」の柱となる言葉です。他者の「声」に耳

を傾けながらも、内的ネイチャーへの信頼はなにがあっても疎外しない。それらの呼応から生じる衝動からしか、信頼に足る言動は発しえないというわけですよね。師のエマソンから受け継いだ自己信頼が、ソロー流の「破」とともに表現されています。

　また、それに続く "However mean 〜 " の箇所が泣かせるんですよね。ぼくはこの言葉にふれたとき、宮崎駿監督『もののけ姫』を思い出していました。アシタカがサンに言う「生きろ、そなたは美しい」というセリフ。あの言葉とソローとをオーバーラップさせていたんですよね。

　「生き方」を意味する「生き様」という言葉があります。基本的に「様（ざま）」というのはネガティブな表現です。英語でいうなら "condition" とか "circumstances" というニュートラルな言葉でしか表現のしようがありません。けれど、生き様の「様」はもともと「ざまあみろ」とか「このざまを見ろ」の「ざま」ですから、生きること自体が本来さまにならない無様なものだという考えが根底にある言葉です。結果だけ見ればどんなに華々しいことでも、いえ、華麗な成果であればあるほど、そこへ至る道程には匍匐前進さながらの遅々とした歩みや、容易には解きほぐせない葛藤が満ち満ちています。それでも、その道を歩く、歩き続ける。

　ソローが選んだのも、まさしくそのような、いわば面倒くさい道筋です。列車に乗って移動をするよりも、その汽車賃を稼ぐのに必要とされる（彼からすると無駄な）時間ずっと歩き続ければ、より早く目的地に到達する。ソローはそのような生き方を「**普遍的な法則（the universal law）**」と名付け、自らの指針としていた人物です。そして、その無様で煩雑なプロセス自体を、ときに不平や不満を漏らしながらも、内的ネイチャーを含む五感・六感のすべてで享受して

いたんですね。そうした営みのひとつひとつが独自のトーンで語られる『ウォールデン』からは、「生き様」自体を力強く肯定する「声」が至るところから聴こえてきます。

　ソローが身を置いたのは、あくまで「手つかず」の野生ではありませんでした。ウォールデンの自然とは、いわば野生（荒野）と文明とのはざまに位置する境界領域だったんですね。ソローは、ひとりの誠実な自然観察者・博物学者として、世界そのものを「野生か文明か」という二元論で理解することは不可能だとわかっていました。ですから、むしろそういった乱暴な思考は初めから放棄していたんです。それよりも、野生という極点にも依らず（ソローはむきだしの野生を前にして戦慄したことを書き残しています）、かといって文明に浸りきるのでもない。内的ネイチャーが活性化する着地点をどこに見出していくか。彼にはそのような実際的な狙いがあって、ちょうど両者のあわいとしての自然に目を付けたわけなんですね。

　ソローはウォールデンの自然で2年2か月ほど、「実験（experiment）」に徹すると、ふたたび町へ戻ってきます。ここが彼のおもしろいところなんですよね。もともと自分がいた場所から別のところへ出て、それっきりならば、いわゆる「移住（migration）」です。が、ふたたび町へ戻ってきて、今日の文化人類学者さながらに「再定住（re-inhabitation）」する。そして、再発見されることで一段と強化された内的ネイチャーを、真っ向から国家や社会制度と対峙させるのです。師のエマソンは、確固たる自己信頼から他者への伝播・拡張を通して、我々に共通の困難を共に乗り越えようとしました。弟子のソローは、エマソンの教えを受け継ぎつつも、何物にもひるむことなく、固有の内なるネイチャーと社会との関係を再構築し始めます。個が変わる。個が変わるならば、その集合体であ

る社会も変わる。あくまで「ノン・コンフォーミスト（個人主義者、不服従の人）」としての個人改革から社会改革へ。ソローなりの筋が通った理路なんですね。

　自然へいったん撤退しながらも、鍛え抜かれた個によって大きな転換を図る。日本では**宮沢賢治**（1896-1933）が「世界がぜんたい幸福にならないうちは個人の幸福はあり得ない」と書いています（「農民芸術概論綱要」）。ソローと賢治の思想とには、表現の手触りこそ異なるものの、義兄弟さながらの要素が多分に含まれているように思います。

「市民的不服従」（"Civil Disobedience"）

　ウォールデンでの自給自足を始めてちょうど1年後の1846年7月、ソローは税金を支払わなかったことを理由に逮捕、投獄されます。同じ年の4月に勃発していた**メキシコ戦争**や**奴隷制**への抗議として、人頭税の支払いを拒否し続けていたんですね。とはいっても、インフラなど「**コモン**（common = 共有の場）」の維持に必要な税金はしっかり支払っていますから、まちがっても天の邪鬼なソローが気まぐれにとった行動などではなく、熟慮による判断から発せられた明白な意志表明だということがわかります。

　どこからどう考えても賛成しかねる奴隷制に何らの修正・改善を加えず、それどころか侵略戦争さえ推し進める政府。そんな政府に納める税金など、どこにもない。ソローは揺るぎない信条を「納税拒否」という行動で政府に突きつけ、収監されます。彼が投獄され

たことを聞いて、エマソンも駆けつけました。そのときの彼らのやりとりは、いまでも有名なエピソードとして残っているくらい、大変に痛快です。

「ヘンリー、どうしてこんなところにいるんだ？（Henry, why are you here?）」と尋ねるエマソン。

ソローはそれには応えず、

「ウォルドーはどうしてここにいないんだ？（Waldo, why are you not here?）」と言い返したといいます。いかにもソローがソローたる所以がよく表れている応答です。

相手が政府ならば、何の選別も抵抗もせずに、要求されたことすべてを唯々諾々と呑み続けるのか。ソローはエマソンに対して、そう問いかけています。エマソンは市民から「**コンコードの聖人**（the Sage of Concord）」と仰がれていたオピニオン・リーダーでもありましたから、気骨ある弟子ソローは、師の考えを問いただしたかったのでしょう。

自己信頼に基づいた「不服従の人」としてのソローの思想や、非暴力を貫いた市民としての抵抗は、時空を超えて、歴史に名を刻んだ志士たちに受け継がれました。もっとも有名なのがインド独立の父として知られる**マハトマ・ガンディー**（1869-1948）、そしてアメリカ**公民権運動**を率いた**マーティン・ルーサー・キング牧師**（1929-68）、さらには南アフリカで**アパルトヘイト**の撤廃に尽力した**ネルソン・マンデラ**（1918-2013）。彼らは皆、迫害や差別を受ける側の人間として生まれ、不本意ながらもそれらを甘んじて受け続ける社会に育ちました。が、国家や社会制度より優先されるべきネイチャー（自然／本性）に従い、同様の困難にひとりで敢然と立ち向かったソローの「**市民的不服従**」に大いにインスパイアされました。ソロー

が端緒となった「**非暴力不服従**」。その思想に基づいた三者三様の抵抗運動は、今日でも世界中の気骨ある革命児たちに受け継がれ、彼らを力強く鼓舞し続けています。

　その後、獄中のソローはどうなったのかというと……。実は、ソロー自身は収監されてなお意気軒昂だったのですが、期せずして1日で釈放されてしまいます。というのも、やはり後世のガンディーやキング、マンデラもそうであったように、ソローを愛する人々や彼を尊敬する支援者たちがいたんですよね（『若草物語』の著者**ルイザ・メイ・オルコット**もそのひとりでした）。彼の叔母さんが、獄中のソローにはなにも言わずに、未払い分の税金を肩代わりしてしまったんです。不承不承の出獄でしたが、牢獄の中ではなく、彼には外の世界で活き活きと活動してほしいと考えていたひとたちの厚意ですから、彼自身も仕方なかった。

　この一連の騒動に収まりをつけたのがソローの叔母さんであったことを見てもわかるように、講演「逃亡奴隷法」で理路整然と非難の声を強めたエマソンにしても、「地下鉄道」で生身の逃亡奴隷に手を貸したソローにしても、彼らの背後には十二分に信頼できる後ろ盾がありました。その最たる存在が、両者ともに親族を中心とした身近な女性たちであったことは事実です。それに加え、彼女たちの抵抗活動の本拠が「**反奴隷制女性協会**（Female Anti-Slavery Society）」であったことを見落としてはなりません。

　反奴隷制女性協会は1832年にマサチューセッツの**セイラム**で創立されたのを皮切りに、多くの黒人女性たちも参画し、各地の支部が次々と組織化されつつありました。1837年にはエマソンやソロー、オルコットが住んでいたコンコードにも設立され、エマソンの妻やソローの叔母、オルコット母娘たちも加入。実際にその活動

へ参加していたんです。もちろん、当時はアメリカでも女性参政権さえ認められていない状況です。それでも、社会的に「弱者（the weak）」とされていた女性たちだからこそ、暴力的な扱いを受けていた「より弱い存在（the weaker）」への感覚が鋭敏に働いたといえるでしょう。エマソンにしても、ソローにしても、彼女たちの助言や導き、支援がなくては、確固とした理論を押し通すことも、自らの信念を言動で貫き通すこともままならなかったはずです。

　だいぶ前置きが長くなりましたが、いよいよ「市民的不服従」を読んでいきましょう。1848年にソローが**ライシーアム**で行った講演が基になっています（引用原文は前掲書から）。

> I ask for, not at once no government, but *at once* a better government....I think that we should be men first, and subjects afterward. It is not desirable to cultivate a respect for the law, so much as for the right. The only obligation which I have a right to assume, is to do at any time what I think right.　　　　(pp.266-267.)

「わたしが言いたいのは、いますぐ政府をなくそうということではない。早くまともな政府を造ろうと言っているのだ。（中略）わたしが思うに、わたしたちはまず人間であって然るべきで、国民であるのは二の次だ。正しいことに対する敬意を醸成するのと同じレベルで、法律に対して敬意を育むことなど、好ましいことではない。ただひとつ、わたしが請け負わねばならない務め。それは、いついかなるときでも、自分が正しいと考えることを行動に移すことだけなのだ。」

全体として、政府や社会と個人との関係について論じられています。極端な原理主義者と捉えられることの多いソローですが、最初の文では "not 〜 , but ..." や "better" を用いて、きわめて現実的な話として語っていますよね。非現実的な無政府状態を望んでいるわけではなく、よりよい政府を造るための取り組みをいますぐ始めたいんだ、と。

　続く二文目では、ソローは生粋の超絶・超越主義者らしく、国家や国民という、ややもすると強大で抵抗しようがないように見えるカテゴリーさえ、個々の内面に比べれば、従属物に過ぎないのだと喝破します。21 世紀の今日では当然とされる真理です。しかし、時代は近代国家としてのアメリカが自国の権力を肥大化させると同時に、他国との駆け引きや競合が激しさを増していた頃合いですから、ソローがこのように断言するには、よほど強い覚悟と気概を必要としたはずです。

　そして、最後の二文では、自己信頼に基づいた個々人の判断に全幅の信頼が置かれています。個々の内面を土台にして、ひとりひとりが言動で具体化していく以外に「まともな政府」など造りようがないではないか。エマソンも含めて、超絶・超越主義者たちの思考は、基本的にこの経路をたどります。すべては個人的かつ身近な些事から始められ、そこから社会的な取り組みへと連結されるんですね。とりわけソローに関する限り、その傾向はさらに強まります。奴隷の解放も、世直しも、なにより自己の解放から、そして自己の再構築から始められるんですね。いささか抽象的な傾向が強かったエマソンの思想と比較すると、ソローが思考する経路はきわめてプラクティカルです。エマソンが抽象的な理論として語っていた民主主義の構築も、ソローにかかると、たちまちのうちに地に足を着け

た議論に結びつき、具体的な行動として提示されます。ちょうど、今日の草の根民主主義さながらに。

I was not born to be forced. I will breathe after my own fashion. Let us see who is the strongest. What force has a multitude? They only can force me who obey a higher law than I….If a plant cannot live according to its nature, it dies; and so a man.　　　　　(pp.279-280.)

「わたしがこの世に生まれたのは、なにかを強制されるためではない。自分の好きに呼吸するつもりだ。いちばん強いのが誰なのか、比べてみようではないか。数が多いというだけで、はたしてどんな力があるのか。わたしになにかを強制できるのは、わたし自身よりも高い法則に従っているひとだけなのだ。（中略）本来の性質に準じて育てられなければ、植物だって枯れてしまう。人間だって言うまでもない。」

"be forced" と "breathe"、"a multitude" と "a higher law"、そして最後は "plant" と "man"。キーワードとなる単語を対にして喩えるところが、きわめて修辞に富んでいます。どこかで反論を試みようと読み始めても、いつのまにか膝を打っている。そんな巧妙なレトリックがあります。

　ひとつ前の引用箇所でも、ソローは「法律」よりも「正しいこと」を優先させていました。ここではそれらの概念が、「数が多いこと」と「より高い法則」に置き換えられているんですね。こうした考えの根本には、やはり「自然界の法則（the law of all nature）」を最優先したエマソンの思想があります。制度上の法律というものは、

ある特定の集団が社会生活を安定させるために、一時代の実情に合わせて設計・制定されたものです。あくまで、より高尚な倫理やモラルに従うために作られたものではない。その点からすれば、個人の内的ネイチャーに根差した「普遍的な法則（the universal law）」のほうが、字義どおりに「普遍性」を帯びているに決まっています。奴隷制の維持と戦争の推進という、政府の決断に抗議したソローからすると、当然のことだったのでしょう。事実、それらが「自然界の法則」からも、「普遍的な法則」からも、遠く隔たった愚策であったことは、のちの歴史がしかと証明しています。

　それならば、「正しいこと」や「より高い法則」、「普遍的な法則」を基盤にした国家像とはいったいどのようなものなのでしょうか。もし具体的なイメージがあるのだとすれば、それが個人と政府・社会との関係性に現れていなければ、所詮は絵に描いた餅に過ぎません。実現不可能な理念を錦の御旗として頑迷に掲げ続けるならば、行きつく先は無政府主義と何ら変わらないわけです。しかし、そのような帰結は、無政府の状態を望んではいなかったソローにとって、不本意だったはずです。彼は「市民的不服従」の最終パラグラフで、理想の国家像について次のように語り、論を閉じています。

> There will never be a really free and enlightened State, until the State comes to recognize the individual as a higher and independent power, from which all its own power and authority are derived, and treats him accordingly. I please myself with imagining a State at last which can afford to be just to all men, and to treat the individual with respect as a neighbor….which also I have imagined, but not yet anywhere see.
>
> (pp.287-288.)

「個々の人間には、国家よりも崇高で独立した力がある。その
ことを国家が認める。そして、国家の力と威信とが、個人に由
来することを認識する。そのうえで、国家がひとりひとりに見
合った対応をするようになる。そうしてようやく、本当に自由
で進歩的な国家が生まれるのだろう。わたしはいつの日か理想
の国家が出現することを思い描いて、ひとり悦に入っている。
当たり前のこととしてあらゆる人間と公正にかかわり、まるで
隣人に接するかのようにひとりひとりを尊重する。（中略）わ
たしはそのような国家のすがたについても想像をふくらませて
きた。だが、そういった国家はいまだどこにも見あたらないの
だ。」

往々にして二項対立として捉えられがちな個人と国家との関係性。
それをいったん解きほぐすことで、「まともな政府」を造る筋道を
丁寧に説いています。ひとりひとりに内在する「崇高で独立した
力」が起点となって、そこから「国家の力と威信」が生まれる。だ
から、国家はひとりひとりの個人をこそ尊重し、大切にしなければ
ならない。そういう道理です。
　「この世でたったひとつ価値あるものは、活き活きした魂なので
す」。エマソンは「アメリカン・スカラー」の結びでそう断言しま
した。ソローはその主張をさらに発展させると同時に、現実的な議
論へ結びつけているんですね。「活き活きした魂」を実現するにし
ても、もっとも深刻な阻害要因と化している国家や社会へ思考の触
手を伸ばさなければ、その試みさえ台無しになってしまうではない
か。そういうわけです。

自然観察においても、自己を包含する自然と自分自身とを切り離すことなく、それらの相互関係として自然界を理解したソロー。個人と国家・社会との関係を論じるにあたっても、その知見は十二分に活かされています。彼の内なるネイチャーは、ソローをして彼固有の思想を活き活きと表現せしめているのです。

ソローの最期とエマソン

　2年にもわたる書生同様の同居生活に始まり、エマソンから多くを授かったソロー。師弟のような交友関係を築いた彼らも、いつのまにか方向性の違いを強く意識するようになっていました。個の内なるネイチャーを重視したエマソンにとってさえ、ソローの言動はあまりに自分自身にこだわりすぎていると感じられたようです。小さなことばかりに捕われて、巨視的な視座を失っている、と。しかし、エマソンはそのようにソローを否定してはいるものの、言葉の裏には彼への期待が込められていることがわかります。もっと大きなことができる人物なのにもったいない、そういった口吻なんですね。

　ソローも同じようにエマソンに失望し、彼と話しても時間の無駄だと日記で不満を漏らしています。それでも、エマソンはここぞというときにソローへの信頼を隠しませんでした。エマソンが渡英の際に、10か月ものあいだ家族とともに留守を預かったのもソローでしたし、エマソン講演会の実現に向けて署名を集めたのもソローでした。日程の都合で、どうしてもエマソン自身では不可能な校正

を手がけたのも、ソローだったのです。

しかし、1862 年の 5 月 6 日、ソローは 44 歳という若さで、14 歳年上のエマソンより 20 年も早くに亡くなります。あまりに長い期間にわたって極寒の森へ入り、自然の一部と化して記録をとり続けたソロー。最晩年には樹木の年輪観察に没頭し、その無理がたたって気管支炎を患い、肺結核を発症。そのまま息を引き取ったといいます。字義通り対象に没頭して、朝から晩まで観察し続けるほど、比類のない集中力の持ち主でした。ですから、その死に際にさえ、ソローらしさを感じてしまいます。

死から 3 日後の 5 月 9 日、コンコードの教会で葬儀が執り行われ、エマソンが弔辞を捧げました。非常に長大な追悼文で、両者が反目するに至った要因にも目を背けることなく、それでいてソローが大事にした「生命の源泉」や「地下室」に対する深い敬意が注がれています。今生の別れは、次のような心尽くしの言葉で閉められています（引用は、Emerson, *Selected Essays* から）。

His soul was made for the noblest society; he had in a short life exhausted the capabilities of this world; wherever there is knowledge, wherever there is virtue, wherever there is beauty, he will find a home. (p.415.)

「彼の魂は、もっとも尊い関係性を享受すべく造られていました。短い人生でしたが、彼はこの世に秘められた妙味をすでに味わいつくしたのです。知があるところ、徳があるところ、美があるところ、そんなところならば、彼はどこにでも安らぎの場を見出すでしょう。」

うわべだけの人付き合いを毛嫌いし、自然に身をひたしたソロー。エマソンはその行為に隠された本質を "the noblest society" という言葉を用いて、最大限の賛辞とともに理解しています。そして、交感によって自然と一体化すると同時に、内なる野生をますます覚醒させつつあったソローの営みを、彼以外の人間には感知しえない "capabilities" の賞翫と表現しているんですね。まさに、超絶・超越主義の理論的リーダーであると同時に、心の底からソローを愛し、信頼していたエマソンにしか不可能な、深い理解と表現だと思います。

　2020 年の初頭、小さな国際ニュースから始まった新型コロナウイルスの蔓延は、たちまちのうちに世界中を覆い尽くしました。人類はいまだ先の見えないトンネルのなかを歩き続けています。

　生きていれば、日々さまざまな場面で何らかの決断を迫られます。いままでなら周囲の顔色をうかがい、マジョリティの側に身を置くだけで、安堵していた人たちもいたかもしれません。その選択が正しいか否かを問うことさえなしに。しかし、いまや生身で対面し、時空間を共有すること自体が脅威となる時代です。マジョリティの側を選ぶことが二重の意味で疑問に付されているのです。

　そんなとき、ソローの生き方は我々を当たり前の基本に立ち返らせてくれます。「自分の好きに呼吸」するために、文明社会が強いる価値観から距離をとる。「より高い法則」に気づき、それに従うために、ひとり自然と対話し、自己の内なる「声」を呼び覚ます。

　生身での出逢いをはじめ、ウイルスの感染拡大は、我々の生活を我々の生活たらしめてきた、多くの構成要素を奪い続けています。いままで等閑視されてきた事象さえ、その重要性があらゆる現場で自覚されつつあるわけです。しかし、次々と衣服をはぎ取られるよ

うな状況だからこそ、自分にとって本当に大事な血肉が、骨格が、臓腑が、明確に意識されるはずです。そこで認識しなおされた「生命の源泉」を起点として、個々人がふたたび生き直す。ソローのように、ひとりひとりが未知の実践を繰り返しながら。

　ウイルスに対する特効薬が実現するか否かは関係ありません。この危機をいったん経験した以上、我々人類に残された選択肢_{オルタナティヴ}はそこにしかないように思います。そのようにして再生された生こそが、空前絶後の「声」を生成し、その「声」自体が未知の人生の指針となっていくのです。

参考訳

ソーロー『森の生活』神吉三郎訳（ワイド版岩波文庫、1991年）
Ｈ・Ｄ・ソロー『市民の反抗 他五篇』飯田実訳（岩波文庫、1997年）

推薦文献

今福龍太『ヘンリー・ソロー 野生の学舎』（みすず書房、2016年）

論点

(1)　ソローが人頭税の支払いを拒否したように、アメリカでは社会状況を改善すべく、さまざまな抗議活動が行われてきました。それらの手段や背景にあった社会構造について、調べてみましょう。

(2) 本文でもふれた宮沢賢治の自然観や、太平洋戦争下にアメリカから日本へ帰国した**鶴見俊輔**（1922-2015）の国家観と比較しながら、ソローの思想の特徴を捉えなおしてみましょう。

第5講　ウォルト・ホイットマン

（Walt Whitman, 1819-92）

KEYWORD

Poetic Declaration of Independence
American voice

　前回のソローでは、COVID-19 の感染拡大という時代状況もおおいに手伝って、知らず知らずのうちに最終回のような語り口になっていました。しかし、我々は真空地帯には生きられませんからね。やはり、誰もが特定の時空間にとどまって、多かれ少なかれ、その影響を一身に受けざるをえないわけです。これまで見てきたフランクリンやペイン、エマソン、ソローの誰もが、時代の渦中に巻き込まれながらも、自ら近代国家の屋台骨を担ったり、近代思想の主流から距離をとったり、自然と交換／交感して自己の本性を掴みなおしたり、あがきもがきながら自らの「声」を立ち上げていったのです。

　歴史も政治もどこ吹く風と、机上の理知から導き出された真理も、真理である以上はもちろん貴いに決まっています。しかし、フランクリンの回でも見ましたように、あらゆる真理がつねに深いところで多くの人々に受容されうるか。そして、共同体や国家、ひいては

ウォルト・ホイットマン
（1819-92）

人類を代弁しうる骨太な「声」にまで強化され、深められるかというと、そうとは限らないのが現実です。

フランクリンとペイン、エマソンとソロー。期せずして組むことになった各々のペアが実際にとった言動や、文章が醸し出す情緒は、外面的には波長が合わないようにさえ感じられます（前回も見たように、エマソンとソローのあいだには少なからぬ軋轢もありました）。しかし、彼らは両者ともに、同時代を生きる人々と同じ風を全身で受け止めていました。そうして、ときに吹き飛ばされそうになりながらも、さまざまな角度から気流を受け止め、自らの腹の底からの「声」がもっとも出やすい場や生き方を模索していたのです。それさえ実現できれば、自身の「声」を深く遠いところまで響きわたらせるのは、それほど難しいことではないでしょう。結果として、活性化された彼らの内的ネイチャーは、それぞれに固有の極点を掘り当てた。そして、極と極とのあわいに生きる人々の「生命の源泉」に触れる、力強い「声」を醸成しえたのです。18-19世紀のアメリカという枠組みを超え、我々にさえ響くような「声」を。

今回とりあげるホイットマンは、キーワードにも挙げたように、「アメリカン・ヴォイス」の柱となる詩人です。ソローはホイット

マンの作品を読んで感銘を受け、1856年に彼のもとを訪れて対面しています。また、エマソンは、ホイットマン流の大胆な性的表現、とりわけ同性愛を喚起させる描写に批判が集中するさなか、賛辞とともに手紙を書き送っています。ソローの師匠でもあり親友でもあったエマソンは、実はホイットマンにとっても長年の私淑の対象でした。ホイットマンは、エマソンの超絶・超越主義に魅せられ、その思想を詩で表現したいと思っていたんです。ですから、エマソンからの手紙にホイットマンは大いに勇気づけられた。そして、第二版にはその手紙を5ページにもわたって（無断で）掲載してしまいます。さすがのエマソンも、第三版の刊行時には、性的描写を抑制するよう忠告しています。が、受け入れられませんでした。それどころか、より過激さを増した詩集は、学界や出版業界をはじめ、そこかしこで非難の集中砲火を浴びることになります。しかし、そういった副次的なスキャンダルを考慮に入れても、エマソンやソローらの「声」を空前の詩作で継承し、彼らに驚愕と感嘆とを同時に与え続けた事実が消えることはありません。

　それでは、エマソンやソローに衝撃を与え、魅了しえたホイットマンの詩の特徴とは何なのでしょうか。それは、ひとことでいうと、幾重にも織り込まれた無限の「声」です。誇張でも何でもなく、ホイットマンの詩には、宇宙そのものさえ内包しうる、広大無辺なヴィジョンと詩的イメージがあふれているんですね。

　いままで見てきたように、フランクリンは本家本元の独立宣言を起草し、ジェファソンはアメリカ学術協会の会長として「第二の独立宣言」と呼びうる奮闘を見せました。そして、エマソンは講演「アメリカン・スカラー」において「知的独立宣言」を謳いあげ、ソローはのちの公民権運動や**ベトナム反戦運動**にまでつながる、

「市民的不服従」の支柱を築きました。ホイットマンの2つ目の
キーワード「**詩的独立宣言**（Poetic Declaration of Independence）」とは、
彼がヨーロッパ由来の伝統的な韻律や詩型には捕われずに、アメリカ
らしい民主的なダイナミズムを自由な詩形で詠ったことを表してい
ます。ホイットマンがアメリカ初の国民的詩人と呼ばれる所以です。

　彼の壮大な詩にふれるまえに、まずは伝記的な事実から確認して
いきましょう。彼の人生も、いままで見てきた思想家・文人たちの
例に漏れず、いささか破天荒なところがあります。生まれはニュー
ヨークの**ロングアイランド**。同時期のアメリカ東部出身の詩人と
しては、**ヘンリー・ワズワース・ロングフェロー**（Henry Wadsworth
Longfellow, 1807-82）がいます。彼は大学を卒業したのち、ヨーロッ
パに遊学。各国で言語学を学んだのち帰国すると、「お上品な伝統
（genteel tradition）」としてのヨーロッパ文化を自身の詩作で発展的に
継承しました。

　人生においても、詩作においても、ホイットマンのちょうど対極
にあるのがロングフェローなんですよね。ロングフェローの詩作の
土台は、その多くをヨーロッパの伝統に負っています。もちろん、
彼も大詩人であることは紛うことない事実です。しかし、彼の詩
作が「**アメリカの声**（American voice）」を担いうるか、「詩的独立宣
言」にまで高められているかというと、やはり物足りないところが
ある。というよりも、ホイットマンの詩作のスケールがあまりに大
きすぎるんですね。ヨーロッパの伝統や規範から遠く離れた場所で、
アメリカ的な要素と自己のネイチャーとを詩作で統合した詩人、そ
れがホイットマンなんです。

　ホイットマンは生家が非常に貧しく、まともな学校教育を受けさ
せてもらえませんでした。小学校を中退すると、印刷所に見習いと

して就職。印刷工として働きながら、むさぼるように本を読んだんです。この生い立ちって誰かに似ていますよね。そう、フランクリンです。彼も正規の教育は受けられませんでしたが、印刷所で文字を覚え、文章のつづり方を学んだんでしたよね。ホイットマンも同じです。まさしく、印刷所が彼らの大学だった。そののち、ホイットマンはジャーナリストとして民主党系の新聞で記事を書くようになります。こういった具体的な経歴も、フランクリンと重なるところがありますよね。

1830年代のアメリカでは、大衆迎合的な「**ジャクソニアン・デモクラシー**（Jacksonian democracy）」の風が吹き起こっていました。ときの大統領は**アンドリュー・ジャクソン**（Andrew Jackson, 1767-1845）。第45代大統領を務めた**ドナルド・トランプ**（Donald John Trump, 1946-）が尊敬し、執務室に肖像画を飾っていた人物といえば、だいたいは想像がつくでしょうか。今日では、アメリカ政治における悪しき**ポピュリズム**の実践者として認識されています。ジャクソンは選挙権の対象を拡大し、自らの支持者を増加させる一方で、国土拡張の過程で先住民族を激しく迫害し、何度も政治の俎上にのった奴隷制の問題を放置し続けました。

エマソンやソローの回でも少しふれたように、1840年代後半から、アメリカでは奴隷制をめぐる矛盾が表面化しつつありました。メキシコ戦争で奪い取った領土に対しても、従来の奴隷制を適用するか否か。国内世論だけでなく、ホイットマンが支持していた民主党内でも意見が割れていました。そして、党の多数派は、奴隷制の拡張を支持する南部に対して、譲歩・妥協をするという意見。ホイットマンは決して急進的な奴隷廃止論者ではありませんでした。が、新たに奴隷制を拡張することは許せなかった。そして、党の方

針を批判して新聞社を解雇されてしまいます。内面に深く根を下ろした強靭な意志。それがこのころから、ホイットマンの人生に表出し始めるんですね。逆にいうならば、どうしても首肯できない外的状況によって追いつめられ、抑圧されることで、彼の本性が浮き彫りになっていったのでしょう。教会に反発して牧師職を辞したエマソン。社会制度より自己の切実な欲求に従ったソロー。ホイットマンもまちがいなくその系譜に連なる人物です。

その後、ホイットマンはやはりエマソンやソローと同じように、生き方そのものを通して、前例なき思想や著述、詩作を展開していくことになります。いったんは別の党の機関紙にかかわったものの、やがて政党政治というあり方そのものに失望。いよいよ、詩作へ向かっていくんですね。

そして、1855年の7月4日、アメリカの独立記念日に100ページほどの詩集を出版します。これが伝説とも呼ぶべき詩集『草の葉』(*Leaves of Grass*) の初版です。わざわざ伝説とか初版とか言い添えているのは、72歳で亡くなるまで、ホイットマン自身が加筆や手直しをどんどん加え続けたからです。『草の葉』はそのたびに厚く重たくなっていきました。1892年の「臨終版 (deathbed edition)」まで9つの版が刊行され、最終的には詩が293篇、ページ数438という圧倒的なボリュームまで「成長」します。今回の原文に使うテキスト *The Complete Poems* (Penguin Classics, 1986) は "Complete" と銘打っているだけあって、さまざまな版の序文なども掲載していますから、総ページ数は892にも達しています。

これだけ長大かつ革新性に満ちた詩集だと、どこをどうピックアップしたらいいか贅沢な悩みを抱えてしまいますね。しかし、いかにもホイットマンというところや、これぞアメリカの「声」と

いう箇所を見ていきましょう。まず「ポーマノクからの旅立ち（Starting from Paumanok）」と題する詩篇から。参考訳は『草の葉（上）（中）（下）』（酒本雅之訳、岩波文庫、1998 年）です。

My comrade!

For you to share with me two greatnesses, and a third one rising

    inclusive and more resplendent,

The greatness of Love and Democracy, and the greatness of Religion.

(p.55.)

「同志よ！

あなたはわたしとともに享受するんだ。偉大なるふたつのもの、

    そしてもうひとつのものを。その三つ目のものは、ふたつ

    を内に含み、光を放ちながら出現する。

偉大なる愛とデモクラシー。そして偉大なる宗教。」

さきほどもお話ししたように、まず詩形が独特ですよね。いわゆる詩らしさがない。韻文に付きものの韻律がなくて、ちょうど散文のようなスタイルなんですね。ヨーロッパの伝統から離れた自由律です。

　そして、「わたし（my, me）」という一人称の語り手が登場しています。エマソンやソローにも見られたような、まずは自分から、「わたし」から始まるデモクラシーが表現されているんですね。その「わたし」が語りかけるのは、"you" という仮想の相手。幼いころから市井のさまざまな人々と交わったホイットマンが、あらゆる "you"（＝読者）に向かって現在形で語り続けているんです。

また、言葉遣いも非常にストレートです。愛とデモクラシーだなんて直接的な表現はなかなか書けません。ほかの詩人だと野暮ったくなってしまうんですね。けれど、ホイットマンは奇も衒いもない。勢いを切らすことなく、目いっぱい詠い続けるんです。そして、その連続性と重層性によって、自由と平等とが前面に押し出されてくる。最終的には詩作品全体が「詩的独立宣言」として、アメリカのデモクラシーを表現することになるんです。

　ここで用いられている "Religion" という言葉も、ほかの "Love" や "Democracy" と同じく、頭文字が大文字で統一されていますから、一般的な「宗教」とは別のものです。あとでほかの引用箇所で詳しく見ますが、ホイットマンはピューリタニズム的な＜肉体＝悪＞という思考様式に対して、大きく否を唱えた詩人です。ですから、そのような既成の宗教ではなく、むしろ**Ｄ・Ｈ・ロレンス**（David Herbert Lawrence, 1885-1930）に近い「**原始主義**（primitivism）」に基づいたオリジナルな宗教なんですね。

　ロレンスは『アメリカ古典文学研究（*Studies in Classic American Literature*, 1923)』という名著でホイットマンを高く評価しています。ロレンス自身も、精神ばかりに重点が置かれ、肉体が軽視される二元論に辟易していましたから、同志としてのホイットマンに一目置いていたんですね。ホイットマンの詩は道徳的だが美辞麗句でひとを酔わせるのではない、血管を流れる血液自体を変えてしまうんだ。そのように表現して、ホイットマンを褒めたたえているんです。

　自己のあり方自体を内側から変容させるもの、さらにはもっとも原始的な自己の核心を呼び覚ますもの。そういったものがここで「宗教」と呼ばれています。いわばホイットマンの詩は、アメリカとの相互作用から生み出された「宗教」の生きた経典（＝声そのも

の）として成立しているんですね。

　実際に南アフリカ出身のノーベル賞作家 **J・M・クッツェー**（John Maxwell Coetzee, 1940-）は、ホイットマンの詩作品で表現される「宗教」を「エロス」を土台とした「**市民宗教**（civic religion）」であると語っています。教義とその遵守によるタナトス的な排除の論理を一切含まず、愛とデモクラシーという誰もが受容し、自らの内に築きうるシンプルな教理を基盤とした、包摂的な「市民宗教」というわけです。

　では、広大な国土を有し、入植者たちの歴史がきわめて浅く、ますます多様な民族を抱えるアメリカに対して、ホイットマンはどのようにして具体的な「声」を届けようとしたのでしょうか。

I will not make poems with reference to parts,

But I will make poems, songs, thoughts, with reference to ensemble,

And I will not sing with reference to a day, but with reference to all days,

And I will not make a poem nor the least part of a poem but has reference to the soul,

Because having look'd at the objects of the universe, I find there is no one nor any particle of one but has reference to the soul.　(p.58.)

「わたしは、断片ばかりを問うような詩なんて書きはしない。

　そうではなく、全体的な調和にかかわる詩や歌や思想を紡ぐのだ。

　そして、ある一日に関する詩ではなく、あらゆる日々のことを詠う。

それだけでなく、魂にかかわる詩でなければ、一篇も書きはし
　　　ない、いや書こうとさえしない。
　　宇宙の事物を熟視した結果、わたしにはわかったのだ。どんな
　　　ものでも、どんな破片でも、すべてが魂にかかわっている
　　　ことを。」

　すべての行の主語が "I" ですね。そして、最終行を除いた箇所で
"will" が用いられています。まるで、ホイットマンが読者の目の前
で宣誓しているような雰囲気ですね。しかも、"not 〜 but …" が連
用され、部分より全体の重視、さらには、全体と魂との関連が力
説されています。ちょうどエマソンが唱え、ソローが実践したネイ
チャー同士の交換／交感が詩作自体に置き換えられているんですね。
　最後の行には "universe" と "soul" が並置され、ホイットマンのマ
クロ／ミクロ的な視座が、急激なズームアウト／インとともに切り
換えられ、立ちくらみにも似た感覚に襲われます。ホイットマンの
壮大な複眼思考が、万華鏡さながらに我々の視界を覆い尽くすので
す。
　ここでは「宇宙の事物」とのコントラストを活かすために、事象
としての魂が引き合いに出されています。しかし、さきほどロレン
スとの関連でもふれたように、ホイットマンは「原始主義」に基づ
いた肉体への言及も忘れません。同じページで「あなたが誰であれ、
その身体は実にすばらしく、まったくもって神々しい。どこの部位
であろうと！（"Whoever you are, how superb and how divine is your body,
or any part of it!" p.58.）」と詠い、既成の価値観を反転させるんですね。
そうして初めて、肉体と魂とが等価の位置に置かれることになる。
彼の作品を読んでいると、我々がどれだけ従来の価値観によって思

考や視座を左右されているかが自覚されます。21世紀の今日でさえ、ホイットマンの意図は作中に息づいているんですよね。

　全体を重視し、詩を通して、宇宙と魂とのつながりを探る。魂と事物との関連を詠い、肉体と魂とを並置する。そのような世界観の原点となるのが「わたし自身の歌（Song of Myself）」です。ホイットマンの作品でも、もっとも有名な詩篇で、冒頭から「わたし」による「わたし」の肯定が、声を大にして詠われます。

> I celebrate myself, and sing myself,
>
> And what I assume you shall assume,
>
> For every atom belonging to me as good belongs to you.
>
> I loafe and invite my soul,
>
> I lean and loafe at my ease observing a spear of summer grass.
>
> (p.63.)

「わたしは自分自身を祝福し、自分自身を詠う。

わたしが考えることは、あなたも考えている。

わたしを形成する原子は、すべてあなたのものでもあるのだから。

わたしはぶらぶらほっつき歩いて、自分の魂を招き寄せる。

わたしは肩の力を抜き、前かがみのままぶらぶら歩く。夏草が芽吹くのを眺めながら。」

エマソンが唱えた「自己信頼」が、ホイットマンの手にかかると、このような表現に変換されるんですね。我々は「**原罪**（original sin）」を犯したアダムとイブの末裔に過ぎない。そのような人間観を重ん

じた厳格なピューリタニズムは、フランクリンの合理・実利主義を経てもなお、アメリカ東部を中心に根強く残っていました。

　ホイットマンは＜肉体＝悪＞の否定に続いて、「原罪」に基づいた世界観の転倒を試みています。いわば、果敢に、そして大胆に「**原祝福**」へ大きく舵を切ろうとしている。それもやはり、まず祝福される対象は自分自身です。が、続く行では＜あなた＝読者＞に対しても「原祝福」が拡張されています。「わたし自身」と「あなた」の先に見えてくるのは、もちろん、アメリカ自体の「原祝福」です。生まれたての国家アメリカを、その成り立ち自体から力強く肯定している。

　3行目で提示されるのは、ホイットマン文学の底流を流れる「**循環**（circulation）」の概念です。ソローは「シンプルに、シンプルに、シンプルに！」と語り、事物の表層を削ぐことでネイチャーを浮き彫りにし、さらには野生を呼び覚まそうとしました。修辞の種類こそ異なりますが、ホイットマンの思想も同じ地平にあります。あらゆる存在を原子の水準にまで簡素化することで、呼吸さながらに循環し続ける原子世界としての地球や宇宙を表現すると同時に、階級化された王侯貴族が国家を統治するヨーロッパ型の政治制度ではなく、誰もが交換／交感可能なアメリカ的民主主義を想起させるんですね。

　また、4-5行目では、ホイットマンを理解するうえで肝心となる単語「ぶらぶら歩く（loafe）」が使われています。あくまで「ぶらぶら」であって、あてもなくというのがキーになるんですね。確固とした（ように見える）目的を定めて、すべての行為を無駄なく意味づけしようとしたのがフランクリンの合理・実利主義です。それに対して、エマソンは常に姿を変え続ける自然との交換／交感を唱

え、ソローは森で（ときに不平を漏らしながらも）面倒くさいプロセ
ス自体を享受しました。ホイットマンもその流れを継承しています。

　もちろん、確固たる目的があって悪いわけではないでしょう。し
かし、ひとの内的ネイチャーが活き活きと活動するのは、むしろ
その目的自体が意識から霧消しているときです。別の言葉でいえ
ば、夢中、没頭、没我。それらの状態を意識の側から把握しようと
すると、どうしても、余白とか無意識といったものでしか表しよう
がないんですね。がちがちの規則に縛られ、その束縛がつねに意識
上にある状態では、内的ネイチャーが自由に泳ぎまわることは不可
能です。ですから、最終行でも、肩ひじ張るのではなくて、「肩の
力を抜き、前かがみのままぶらぶら歩く（lean and loafe at my ease）」
となっている。その傍らでは、次々と新しいものが「芽吹いている
（spear）」。なぜなら、そこはアメリカという、民主主義の可能性に
満ちた「新しい」大地だから。

　さらに、「ポーマノクからの旅立ち」でも力強く肯定された「身
体」の価値が、「わたし自身の歌」では肉体と魂とが並置されるこ
とで、輪をかけて強調されています。

I have said that the soul is not more than the body,
And I have said that the body is not more than the soul,　　　(p.121.)

「ぼくは言った。魂は身体以上のものではない。
　そして、ぼくはこうも言った。身体も魂以上のものではないん
　だ。」

魂と肉体とは交換／交感可能な等価性を有する。そのようなホイッ

トマン的「市民宗教」の教義が、ここでは、まったく同じ文中の"soul"と"body"を字義どおりに交換することで、より強く主張されています。

　階級化されず、不当な抑圧を受けることもなく、あらゆる原子が悠々と循環し続ける世界。そこへ還るだけで、我々の内的ネイチャーは本来の息を吹き返す。ホイットマンを魅了してやむことのなかった、理想としてのアメリカ・世界・宇宙像は、彼の詩世界でダイナミックに展開されています。ソローが感銘を受け、エマソンが喝采を送らずにおれなかったのは、そのような世界観と自由律との相乗効果から融通無碍に拡張し続ける詩作品に魅せられ、それらと呼応した彼自身の生き様に強く惹かれたからなのでしょう。

　ホイットマン文学を本格的に日本へ紹介したのは、夏目漱石が最初だと言われています。ホイットマンが1892年（明治25年）に72歳で亡くなると、当時25歳だった漱石は、その数か月後に「文壇に於ける平等主義の代表者『ウオルト・ホイットマン』Walt Whitmanの詩について」と題する論文を発表。アメリカ発のデモクラシーを「共和国に門閥なく上下なく華士族新平民の区別なし」と表現し、その「声」たるホイットマンを称揚しています。この漱石の評価が（女性の権利拡張に対しては理解が不足しているとしても）ホイットマンのネイチャーをしっかり感知しているんですよね。「英文学者」夏目漱石が主として比重を置いたのは、アメリカ文学ではなくイギリス文学です。にもかかわらず、彼のホイットマン観には、さすがに明治知識人としての重厚な見識が漂っています。

　当時は型破りとされた詩型や、「ひわい」と蔑称されもした内容さえ、漱石の鑑識眼を通すと「去れども其（その）詩法に拘泥せざる所（ところ）劣情

を写して平気なる所が即ち「ホイツトマン」の「ホイツトマン」た
り共和国の詩人たり平等主義を代表する所なるべし」と、むしろ高
い評価の根拠と化しています。また、次の箇所では、漱石自身が後
年に到達する「個人主義」の究極のありかたさえ、すでに予見され
ているように感じられます。

> 天上天下我を束縛する者は只一の良心あるのみと澄まし切つて
> 険悪なる世波の中を潜り抜け跳ね廻る是れ共和国民の気風なる
> べし其共和国に生れたる『ホイツトマン』が己の言ひ度事を己
> の書き度き体裁に叙述したるは亜米利加人に恥ぢざる独立の気
> 象を示したるものにして天晴れ一個の快男児とも偉丈夫とも称
> してよかるべし。

誰かになにかを強いることもなく、誰かからなにかを強制されるこ
ともない、一個の「独立」した「原子」さながらの存在。ホイット
マン自身の生き方、さらにはホイットマンの「声」に漱石が交感
し、文章をつづっている漱石自身の「声」が目の前でむくむくと立
ち上がるような感じを覚えます。漱石自身が理想とする生き方が、
ホイットマンの生き様と重ね合わせられているんですね。そして、
「「ホイツトマン」あつて始めて亜米利加を代表し亜米利加あつて始
めて「ホイツトマン」を産す」と論じてホイットマンとアメリカと
の必然的な結びつきを大いに認め、両者のネイチャーから導き出さ
れる「声」としてのホイットマン文学を礼賛しています。

　ホイットマン自身も、もちろんそのことに対して意識的です。
「青きオンタリオの湖畔で（By Blue Ontario's Shore)」という作品では
＜アメリカ＝詩＞という大胆な表現にまで至ります。アジアでも

ヨーロッパでもないのだ、彼はそう語ります。無責任な憧憬へ自己を縛りつけるのではなく、むしろアメリカという大地に根を張ることで、そこでしか成立しえない詩業に目を向けるんですね。そして、次のように詠うのです。

These States are the amplest poem,

Here is not merely a nation but a teeming Nation of nations,

Here the doings of men correspond with the broadest doings of the
    day and night,

Here is what moves in magnificent masses careless of particulars,

Here are the roughs, beards, friendliness, combativeness, the soul
    loves,

Here the flowing trains, here the crowds, equality, diversity, the soul
    loves.   (pp.364-365)

「これらの州の集まりが、なによりも豊かな詩なのだ。

これは単なるひとつの国ではない。いくつもの国家がひしめく
    未知の国家なのだ。

人々の生活。そして、昼夜を問わず無辺際に広がる営み。ここ
    ではそれらが交感しあう。

どうでもいいことには捕われない大群衆。ここでは彼らによっ
    て物事が動いていく。

魂が愛する荒くれ者、あごひげ、友情、闘志。ここにはそれら
    がそろっている。

魂が愛する人々の潮流、民衆、平等、多様性。ここにはすべて
    がそろっている。」

"States" 自体がもっとも豊穣な詩だと大胆不敵な宣言が放たれたあと、いくつもの "Here" が続き、その後ろにさまざまな事物や事象が次々と並べられています。ホイットマンの詩の大きな特質、「カタログ」手法です。ここでは範囲がアメリカに限定されていますが、一見するとカテゴリーがまったく違う単語がフラットに並列されています。それによって、あらゆる存在が既成の序列から解き放たれ、あらためて等価の位置に置き直されているんですね。

　旧世界ヨーロッパでは、時間の堆積が社会の構造を大きく左右しています。その結果、人々は支配層と被支配層との二極に分断され、そのような支配構造と一般的な国家像とが切っても切り離せない関係を築いてきた歴史があります。

　しかし、新世界アメリカでは、ひとりひとりが平等性を保持した市民として「大群衆」や「人々の潮流、民衆」を構成し、それによって理想的な民主主義の営みを立ち上げていくのだという、強い希望が詠われています。

　市民が単なる「機能」として扱われる固定的な階級社会ではなく、ひとりひとりが活き活きとうごめく共同体。そして、彼らの集まりとしての流動的な州。さらには、州の集合体としての揺らめく国家。それがアメリカだというんですね。"Nation" のイニシャルが大文字の "N" にされているのは、その新規性を表すためなのでしょう（「未知の国家」と訳出したのは、そのためです）。

　総じてホイットマンの詩には、このように既成の価値観を転倒させるカタログが多用されています。なかにはジャンルを異にする名詞の羅列が延々と続く箇所もあって、初めは思わずたじろいでしまうんです。しかし、読んでいるうちに（とりわけ音読していると）、そ

のリズム自体に全身を覆われていく。そして、恍惚として、自分自身もカタログの一部となって行進しているような、そんなトランス状態にも似た感覚に襲われるんですね。等価存在の集合体としての世界が、自己の内外で循環し続けている。まるで曼荼羅を眺めながらお経を聴いているような感じです。漱石も、ホイットマン文学の循環性を帯びた平等感覚について「時間的に平等なり」「空間的に平等なり」と炯眼を発揮し、ホイットマンがアメリカの希望を語りつつも、ナショナリズムを回避している点を称賛しています。

　アメリカの入植者たちが直面したアイデンティティの問題については、フランクリンやジェファソンの回でも見てきました。我々はそこからエマソンやソローを経て、アメリカらしい「声」が立ち上がるのを目の当たりにしてきたわけです。しかし、それでもなお、アメリカには欠けているものがありました。国民を有機的に統合しうる神話や民話のような言語表現がなかったんですね。

　誰によって（民衆／権力者）、どのようないきさつで（内発／外発）、誰に向けて（対内的／対外的）生み出されたのか。国家の起源や国民の創生にかかわる物語は、それらのいきさつに注意を払わなければ、ナショナリズムを喚起したり、排外的なプロパガンダとして利用されたりする可能性を多分に含んでしまいます。漱石がホイットマン文学を高く評価しているのは、彼の詩がその陥穽を免れていることに加え、アメリカとホイットマン自身との関係性に、必然かつ有機的な相互作用を読みとったからなのでしょう。

　また、ジャンルとしても、詩歌の起源は言語表現のなかでも最古層に属しています。と同時に、精神性だけでなく、文字通りにフィジカルな「声」とも直結している表現媒体です。ですから、これぞ

アメリカという、国民の拠り所となるような詩歌の欠如は、複層的なアイデンティティを構築するにあたって大きな痛手でした。そこへ、エマソンの影響を受けつつも、アメリカのネイチャーを直観的に感知し、それを丸ごと体現するような詩人が登場してきた。そして、野生に満ち満ちたアメリカの過去・現在・未来と交感し、それらをあたかも鏡で写しとったような前代未聞の詩を詠い続けたわけです。ホイットマン文学が、賛否のいずれにおいても、アメリカ社会に大きな衝撃を与えたのは至極当然のことだったと思います。

　さきほど読んだ「青きオンタリオの湖畔で」の中盤では、ホイットマンはアメリカのネイチャーと一体化し、まさしく土地の言葉を預かる「預言者」として＜アメリカ＝詩＞の「声」に聴き入ります。そして、ヨーロッパ亜流の制度や価値観から解放された詩人が、どのようにして国民を有機的に統合しうるのか、それを詠うのです。

I listened to the Phantom by Ontario's shore,

I heard the voice arising demanding bards,

By them all native and grand, by them alone can these States be
　　　fused into the compact organism of a Nation.

To hold men together by paper and seal or by compulsion is no
　　　account,

That only holds men together which aggregates all in a living
　　　principle, as the hold of the limbs of the body or the fibres of
　　　plants.

(p.368.)

「わたしは、オンタリオの湖畔で幻姿（ファントム）の声に耳をすませた。

その声は次第に高まり、詩人たちの出現を切望していた。

これらの州の集まりは、地に足をつけた立派な詩人たちによっ

　　て、ひとえに彼らのおかげで、融合しあい、緊密な有機体

　　という未知の国家になれるのだ。

文書や印章、もしくは強制的な力などで人々をまとめても何の

　　意味もない。

すべてをひとつの生きた原則に束ねるもの。人々をまとめあげ

　　るのは、それ以外にない。身体の手足や植物の繊維がまと

　　まっているのと同じ道理だ。」

「幻姿（Phantom）」という言葉が神話のイメージを強く牽引するく
だりです。アメリカの諸処に存在するネイチャーが、ここでは半ば
擬人化された「幻姿」として表現されているんですね。そして、エ
マソンが唱えたネイチャー同士の交感を実現しうるのが、ホイット
マンのいう「詩人たち（bards）」です。そう、「詩人（bard）」ではな
く、あくまで「詩人たち」なんですね。それぞれの土地が有するネ
イチャーとの交感は、特権的な唯一の詩人によって成されるのでは
なく、コモン・マン（民衆）によって行われる。そのことを希望を
託すようにして詠っているんですね。

　そう考えると、ホイットマン流の「詩的独立宣言」は、これまで
見てきた各種の「独立宣言」とは種類を異にすることがわかります。
彼によって初めて、「宣言主」の条件が不問とされるんですね。あ
らゆる条件から自由なアメリカの市民たちが「詩人たち」となって、
草の根から民主的な国家を築いていく。引用箇所の第2連で詠わ

れているのは、取りも直さずその様相でしょう。「すべてをひとつの生きた原則に束ねるもの」とは、外発的な強制力などではなく、アメリカン・ネイチャーとしての「幻姿」と「詩人たち」とのあいだに起こる融通無碍な内的交換／交感にあるのだ、と。

　それに加えて、ホイットマンがエマソンやソローと異質なのは、複数の水準をダイナミックに行き来するような世界観を描いているところにあります。深い森をめぐるようなエマソンの思索と人生、目の前の現実に対するソローの言動。いずれも、直観的にアメリカのエッセンスを感知することで、自己とアメリカの「声」とを同一線上で連結することに成功していました。では、彼らと比較したとき、ホイットマンの最大の強みとはなんだったのか。それは、ホイットマンの表現媒体が詩であったことでしょう。

　詩とは、あくまでフィクション（虚構）です。ですから、さきほどの「詩人たち」のくだりでも見たように、そのなかへ幾重もの入れ子を仕込むことができます。多用される「わたし（I）」とは、ホイットマン自身にもなりうるし、ただの語り手にもなりうる。さらには、ある詩作品や詩集全体を支配する神のような創造主と捉えることもできるわけです。ホイットマンはその強みを最大限に活かして、『草の葉』を「すべてをひとつの生きた原則に束ねるもの」として仕立てようとしている。そして、詩人たちひとりひとりの営みを連帯させることで、アメリカ全体をまとめあげようとしているんですね。ホイットマンは『草の葉』所収の最終詩篇「さらば！（So Long!）」で以下のように詠っています。

Camerado, this is no book,
Who touches this touches a man,

(Is it night? are we here together alone?)

It is I you hold and who holds you,

I spring from the pages into your arms — decease calls me forth.

(p.513.)

「同志よ、これは本などではない。

これにふれる者は、人間にふれているのだ。

（もう夜か？　ここにいるのはわたしたちだけなのか？）

あなたがぎゅっと掴み、あなたをぎゅっと掴んでいるもの、そ
　　れはわたしなのだ。

わたしはページから飛び出して、あなたの腕のなかへ飛び込
　　む──わたしは死ぬことで、あなたに出逢えるのだ。」

これまで「わたし（I）」と「あなた（You）」とは、詩文や詩篇、詩
集が媒介することで関係性を構築していました。そのたびごとに
「わたし」は虚構内の存在として、ありとあらゆるものへ姿を変え、
「あなた」との関係性を組み替えてきたわけです。しかし、今度の
「わたし」は詩集そのものだと宣言しているんですね。「すべてをひ
とつの生きた原則に束ねるもの」としての詩集が、「わたし」と同
化している。

　それに加え、最後の箇所では、「あなた」に掴まれる（読まれる）
ことで、「わたし」は「あなた」とも混然一体と化しています。「あ
なた」の「声」に「わたし」の「声」が統合されることを予覚して
いるような詩文です。読み手は「わたし」にホイットマンの存在を
感じ取り、『草の葉』自体が彼自身の遺言であると同時に、遺体で
あるかのような悲壮感さえ覚えてしまいます。

エマソン譲りの自己信頼を継承し、アメリカの「声」を自信たっぷりに詠ってきたホイットマン。しかし、さすがの彼も時代の波には逆らえませんでした。なにより大きな陰を落としたのは、やはり**南北戦争**です。先にも述べたように、ホイットマンは奴隷制度拡張への反対を表明して、民主党系の新聞社を解雇されています。しかし、いざ戦争が始まると、いてもたってもいられなかった。自ら看護師を志願し、北軍に従軍します。当時の日記には次のように書かれています。扱うテキストは『ホイットマン自選日記（上）（下）』（*Specimen Days & Collect*, Dover Publications, Inc, 1995）です（杉木喬訳、岩波文庫、1967-68 年）です。

I go around from one case to another. I do not see that I do much good to these wounded and dying; but I cannot leave them. Once in a while some youngster holds on to me convulsively, and I do what I can for him; at any rate, stop with him and sit near him for hours, if he wishes it.　　　　　　　　　　　　　　　　　　　　　(p.27.)

「わたしは次から次へと患者のあいだをまわる。傷を負い、死に瀕している、これらの人々に対して、わたしが出来ることなどあまり多くはない。それでも、彼らを放っておくことはできない。若者が発作的にしがみついてくることもある。そんなときは彼のために精一杯のことをする。ほかのことはさておいても、彼といっしょにいるのだ。そして、彼が望むならば、何時間でもそばにすわっている。」

ホイットマンの詩には、読者への呼びかけのひとつとして「同志」

という言葉が（スペリングの差異こそありますが）多用されています。彼の思想の基盤となる愛の対象は、それがデモクラシーとも関連している以上、異性だけではなく同性をも含んでいます。

　同胞愛の対象をどこまで拡張し、包摂しうるか。それはホイットマンが生涯を通して自らに課した問題でした。詩作としても、人生上の振る舞いとしても。詩作においては、その挑戦的な表現が非難の的となり、『草の葉』第3版を発行する際には、エマソンも赤裸々な描写を削除するよう助言しました。しかし、ホイットマンも、その対象が同性であろうと異性であろうと、こと愛の描写に関する限りは、いくら敬愛するエマソンの忠告でも受け容れるわけにはいきませんでした。黒人と白人との融和、さらには南軍と北軍とを媒介して「未知の国家」を築く。彼の最大の課題は、同胞愛の実現と同一線上にあったのです。

　しかし、奴隷制度の廃止を主張する北軍が勝利したとはいえ、同胞愛どころか、同胞同士で徹底的に殺しあう戦争を目の当たりにしたホイットマンは、相当に深いダメージを負ったはずです。戦後まもなくの日記に、彼は内なる叫びを書き残しています。

…the dead, the dead, the dead—*our* dead—or South or North, ours all, (all, all, all, finally dear to me)….the real war will never get in the books.
(pp.79-80.)

「死者、死者、死者——わたしたちの死者だ——南軍であれ、北軍であれ、皆わたしたちの死者なのだ（みんな、みんな、みんな、結局わたしには愛しいのだ）……本物の戦争は決して本には収まりきらぬものなのだ。」

従軍看護師を志願し、除去しようのない痛苦や無数の死に立ち会ったホイットマン。彼は、自分の身ひとつで実践可能なことに対して、なにかしらの限界を見たはずです。もちろん、それは看護師としての治療やケアに対する能力の限界でもあったでしょう。しかし、それだけではありません。もっとも痛切に感じていたのは、ひとりの市民としての、さらには書き手としての限界でもありました。『草の葉』の最終詩篇で、ホイットマンが自らの全身全霊と詩集とを一体化させているのは、その限界を超越しようという試みなのでしょう。それによって、『草の葉』は有機的な存在と化し、その内に永遠の生命を宿すことができる。愛とデモクラシーによる「市民宗教」の拠り所として、まだ見ぬアメリカの未来を生きる人々へ「声」を遺すことができる。南北戦争という、ホイットマンにとっては絶望的なまでの危機を経ることで、『草の葉』はその「声」をますます多声化していったのです。

　ホイットマンは個の限界をも意識することで、アメリカン・デモクラシーの実現にますます大きな可能性を見出したようです。1879 年に新聞のインタビューを受けた旨を日記につづり、それに対する応答を次のように書いています。

Our American superiority and vitality are in the bulk of our people, not in a gentry like the old world....We will not have great individuals or great leaders, but a great average bulk, unprecedentedly great.　　　　　　　　　　　　　　(p.153.)

「アメリカが他国よりすぐれ、活気づいているところがあると

すれば、それはわたしたち民衆のおかげなのです。旧世界のように上流階級がいるからではありません。（中略）わたしたちから偉大な個人やリーダーが現れることはないでしょう。しかし、わたしたちには偉大な一般民衆がいるのです。誰も見たことがないくらいに偉大な。」

アメリカには王侯貴族のような「上流階級（gentry）」がいません。だからこそ、家系にも階層にも依拠せず、「偉大な一般民衆（great average bulk）」のひとりひとりが、自己の内的ネイチャーの赴くままに立ち上がることができる。そして、個人が個人のまま孤立するのではなく、有機的に連帯することで活き活きとうごめき、アメリカ自体も活性化していく。ホイットマンはそのようなありかたを理想的なデモクラシーとして捉えています。もちろん、個々が空前絶後の連帯を築くにあたっては、彼自身の詩作と実践のすべてが込められた『草の葉』が、「市民宗教」の「経典」としての役割を担うわけです。

　日記の最終章には「ネイチャーとデモクラシー──道徳性（Nature and Democracy — Morality）」というタイトルが付けられ、次のように記されています。

Democracy most of all affiliates with the open air, is sunny and hardy and sane only with Nature—just as much as Art is. 　　　　(p.200.)

「デモクラシーはなによりも屋外の空気と相性がいい。そして、ネイチャーと共存できさえすれば、活き活きと丈夫、まともな姿を保っていられるのだ。ちょうど芸術がそうであるように。」

表面的には政治方面の用語として捉えられがちな「デモクラシー」が、ここでは意外にも「ネイチャー（自然／本性）」と結びつけられています。非常に稀有な、それでいて大変おもしろい組み合わせですよね。古代ギリシャの例にもあるように、通常、デモクラシーと結合されるのは「文明（civilization）」です。文明の発展と民主主義の発達とは比例的な関係にある。我々はそう思い込んでいます。しかし、ホイットマンは芸術を引き合いに出し、ネイチャーを土壌に据えることでデモクラシーも健全に育っていくのだと主張するのです。そして、古代ギリシャの哲学に大きな影響を受けた古代ローマの皇帝**マルクス・アウレリウス**（Marcus Aurelius Antoninus, 121-180）の言葉を引きながら「道徳性（morality）」とネイチャーとの関係性を語り、最後の日記を閉じるのです。

Finally, the morality: "Virtue," said Marcus Aurelius, "what is it, only a living and enthusiastic sympathy with Nature?" Perhaps indeed the efforts of the true poets, founders, religions, literatures, all ages, have been, and ever will be, our time and times to come, essentially the same — to bring people back from their persistent strayings and sickly abstractions, to the costless average, divine, original concrete.

(p.200.)

「最後に道徳について：「徳とはなんであるか」マルクス・アウレリウスは言った。「それはネイチャーに対して抱く、活き活きとした情熱あふれる共感ではなかろうか？」おそらく事実だと思われるのは、真の詩人やなにかの創始者、宗教や文学が

我々にもたらすものは、これまでも、そしてこれからもずっと、現在も未来も、どんな時代であろうと本質的には変わらないだろうということだ——それらは何の対価も要することなく、頑迷で病的な抽象思考から、一般的で神々しい、原初にかかわる具体的な言動へと、我々を連れ戻してくれるのである。」

　マルクス・アウレリウスというと、なによりも真っ先に思い浮かぶのは『自省録』ですよね。内なるネイチャーに比重を置きつつも、ローマ皇帝として「具体的な言動」を迫られる日々。しかし、己の言動をつねに本来あるべき軌道へと修正してくれたのは、ネイチャー同士の交換／交感であった。英断と愚断のはざまで揺れ動きながら、彼にはその深い実感があったのでしょう。

　ホイットマンは、エマソンからの思想を継承しつつも、アメリカという「未知の国家」とデモクラシーの実現に向けて、具体的な一歩を踏み出す必要性を感じていました。ですから、そこにマルクス・アウレリウスの葛藤を差し挟むことで、大きな足がかりを得ていたのだと思います。「一般的で神々しい、原初にかかわる具体的な言動」という表現には、『草の葉』自体と一体と化したホイットマンの姿が見え隠れするようです。

　詩という表現媒体を最大限に活かし、宇宙さえ包含する融通無碍な「声」を獲得したホイットマン。そんな彼にも病と老いが訪れます。1873年、53歳のときに脳出血を患い、左半身に麻痺が残ってしまうんですね。相当に重い麻痺だったようですから、それ以降の筆運びにはいくばくかの衰えが見られます。しかし、デモクラシーへの信念が揺らぐことはなく、1892年、72歳で亡くなる直前まで『草の葉』の加筆・改訂は続けられました。

『草の葉』最後の詩篇で詩集そのものとの一体化を試みたホイットマンの「声」は、アメリカの良心として、いまなお息づいています。ベトナム戦争時には、反戦の詩を詠った**アレン・ギンズバーグ**（Irwin Allen Ginsberg, 1926-1997）や**ゲーリー・スナイダー**（Gary Snyder, 1930-）たちの精神的支柱として、ことあるごとに引き合いに出されました。生涯を通して、そして彼自身の望み通り、没してなお、良きアメリカの「声」としてホイットマンは生き続けたんですね。

　字義通り、『草の葉』とともにあったホイットマンの人生にふれるたび、ぼくには思い出される詩があります。『草の葉』所収の「老いに寄せて（*To Old Age*）」という小さな詩篇です。

> I see in you the estuary that enlarges and spreads itself grandly as it pours in the great sea.　　　　　　　　　　　　　　　　　　　　　　　(p.303.)

「あなたのなかに河口が見える。その河口は次第に大きくなり、雄大に広がり、ついには大海へ流れ込んでいく。」

ここの "great sea" というフレーズは、＜この世＝此岸＞に対する＜死者たちの世界＝彼岸＞と捉えることができるかもしれません。いわゆる「大河の一滴」として喩えられる、きわめて有限な人間の終着点です。

　しかし、ここはむしろ、＜内なるネイチャーの発露＝声＞の授受と捉えたほうが、ホイットマンらしい解釈が可能になるように思います。＜河口＝死＞が、＜大海＝未来＞へ注がれていく。老いと死による、まだ見ぬ未来を生きる者たちへの雄大な投企です。

　アメリカ自体が「未知の国家」ですから、その「声」の行きつく

先は、既成の国家の枠組みなど悠々と超えていきます。明治時代の日本でホイットマンの「声」を聴いた夏目漱石もまちがいなく継承者のひとりでしたし、好むと好まざるとにかかわらず、我々もすでにそのひとりになっている。

　それに加えて、我々はホイットマンの「声」だけでなく、我々自身のネイチャーに基づいた「声」と、多くの継承者たちの「声」とを、たとえ無意識ではあっても自らの内で融合させているんですね。つまり、ひとりひとりが、いまこの瞬間にも、誰も聴いたことのない、内なる「声」を立ち上げている。継承者であると同時に、中継点として、我々も＜大海＝未来＞へ自己を投企し続けているわけです。

　「声」の授受にあたっては、唯一の方法など存在するはずがありません。それはもう千差万別、ひとの数だけ別のやり方があるのだと思います。フランクリンの楽観主義（オプティミズム）はエマソンの自己信頼へと姿を変え、エマソンの思想はソローの不屈の実践を経て、さらなる可能性を付与されました。そして、ホイットマンは前例なき詩表現によって彼らの思索と言動とを継承し、アメリカの「声」をより多様かつ包摂的なものへと押し上げました。そのホイットマンの「声」も、これまで見てきたように、時空を超えて継承され続けています。

　彼らの「声」の継承は、傾聴／発声のいずれにおいても、お互いの意図や意識の範囲を大きく超えています。むしろ、それらの域内で収めてしまっては、元の「声」が内包する「多声性」も徐々に「単声化」の一途をたどっていくのでしょう。そして、いずれは霧消してしまう。

　ホイットマンの「声」も、彼自身が夢想だにしなかった「声」の

持ち主に受け継がれることで初めて、それぞれが意識していなかった「声」が引き出されていくのです。「多声化」という重層的なプロセスは、そのような継承性を帯びたときに、らせん状のダイナミックな変化を遂げていくのでしょう。

　ホイットマンはその詩世界で、性差や性的指向、国籍や肌の色など一切合切を取り払った原始的な世界像を描出し、アメリカに根を張った「未知の国家」を築こうとしました。その世界像に魅せられたロレンスは、そこをコモンとしてホイットマンの「声」を継承し、旧宗主国イギリスに根付いた物語世界を構築しました。

　次回に取りあげるのは**シャーウッド・アンダーソン**（Sherwood Anderson, 1876-1941）です。「アメリカ育ちのD・H・ロレンス」と呼ばれることもしばしばですが、その筆致を見る限り、ホイットマンに対する敬愛の水準はロレンスの比ではありません。しかし、ホイットマンに対して強烈な憧憬を抱きながらも、外面的には彼の詩とコントラストを描くような作品世界を創り上げました。もちろん、アンダーソンも、核心部分ではホイットマンと同じ夢を見ていたことは疑うべくもありません。彼も、ホイットマン同様、世界のあらゆる存在が、その内的ネイチャーに応じた人生を活き活きと送ることを願っている。それでも、彼がまなざし、手を差し伸べる対象は楽観主義者《オプティミスト》とはほど遠く、作中に漂うトーンも、ホイットマンが描出するダイナミズムとは対極にあります。

　一見すると、まったく相いれないように思われるアンダーソンとホイットマン。両者はいったいなにをコモンに据えて「声」の授受を行っていたのでしょう。敷衍すれば、自己と遠く隔たったように見える他者とは、いったいなにを媒介としてつながりうるのか。ホイットマン文学の「もうひとつの顔《アナザー・サイド》」としてアンダーソンの作品を

読むことで、そのヒントが見えてくるのではないかと考えています。

参考訳

ホイットマン『草の葉（上）（中）（下）』酒本雅之訳（岩波文庫、1998年）

『ホイットマン自選日記（上）（下）』杉木喬訳（岩波文庫、1967-68年）

引用文献

夏目金之助『漱石全集 第十三巻』（岩波書店、1995年）

論点

(1)　ホイットマンと同時代のアメリカを生きた詩人に**エミリー・ディキンソン**（Emily Elizabeth Dickinson, 1830-86）がいます。今日ではホイットマンと並んで、世界文学史上もっとも重要な詩人のひとりとして認識されていますが、生前はほとんど理解されませんでした。それはなぜでしょうか。ホイットマンの詩作品や当時の思潮と比較しながら、考えてみましょう。

(2)　ホイットマンの『自選日記』を日本で初めて翻訳したのは、詩人・彫刻家の**高村光太郎**（1883-1956）でした。しかし、南北戦争時に看護師を志願したホイットマンと、自らの詩によって**太平洋戦争**を賛美した高村とのあいだには、一見すると埋めようのない溝が横たわっています。高村をして日記を

翻訳せしめたのは、ホイットマンのどのような要素だったのでしょうか。と同時に、彼らの戦争に対する姿勢はどこから生まれたのでしょうか。両者の作品や伝記的事実を比較しながら、考えてみましょう。

第6講　シャーウッド・アンダーソン

(Sherwood Anderson, 1876–1941)

KEYWORD

Earth-based Declaration of Independence
American small voices

　これまで5回にわたって、アメリカン・ヴォイスの創出に深く
関与した思想家や文人たちを見てきました。彼らにふれるたび感じ
るのは、まずその生き様が魅力的なんですよね。皆、それぞれに尊
敬する師を慕い、仰ぎ見ているのはいっしょです。にもかかわらず、
気がつくと、彼ら自身のネイチャーは、師が思い描いていたコース
とはまったく違う方向へ歩みだしているんですね。

　そして、その生き様から導き出された思想や文章ひとつとってみ
ても、師弟ともに「守破離」の「離」に至った始祖として、堂々た
る足跡を残している。最初はひときわ異彩を放つ生き様に惹かれて
も、そこから興味を抱いて作品群に近づいていくことで、目から鱗
が落ちるような感じを覚えるんです。生き様も圧巻ですが、作品は
より圧倒的な「声」をもっているんですね。

　そのようにして、生き様と作品とのあいだを行き来していると、

シャーウッド・アンダーソン
（1876-1941）

彼ら全員に共通する相互作用が見えてきます。それは、生き様が作品を押し上げ、作品が生き様を引っ張り上げているということなんですね。生き様と作品とが、相互深化によってダイナミックに連動している。

これまで見てきた「声」の授受も同様です。生き様と作品とを両輪に据えることで、傾聴者／発声者たちは自他のネイチャーを大いに賦活させてきたのです。今回とりあげるシャーウッド・アンダーソンも、ホイットマンに憧れ、私淑し、彼の「声」を自らに取り込みました。そうすることで、唯一無二の「声」を醸成し、詩を詠い、アメリカン・ヴォイスを継承する主要人物のひとりになりました。

まずはその生い立ちから見ていきましょう。アンダーソンは**オハイオ州**の貧しい家庭に生まれると、短いあいだに各地を転々とし、落ち着かない幼少期を強いられました。父親がなかなか定職に就かず、うまく就いたとしても長続きしなかったためといいます。アンダーソンの第1作『ウィンディー・マクファーソンの息子』（*Windy McPherson's Son*, 1916）に登場する主人公の父親 "Windy"（空疎な）はその名が示す通り、口先ばかりで行動が伴わない人物として描かれており、まさしくアンダーソン自身の父を彷彿させるところがあります。

114

そのような家庭環境でしたから、アンダーソンは家計を助けるために、幼いころからアルバイトばかりしていました。学校へまともに通うこともままならず、友人からは「ジョビー (*Jobby*)」というあだ名をつけられるほどでした。それでも、母親を亡くしたことをきっかけに実家を出ると、大都市**シカゴ**へ向かいます。そして、工場労働や**米西戦争**での従軍を経験したのちに、コピーライターとして働くようになるんですね。十分に教育を受けられなかったフランクリンやホイットマンにとって印刷所が大学であったように、アンダーソンは広告業界でのコピーライティングで文章作法を学びました。

　また、30代の半ばには「**シカゴ・ルネサンス**」という芸術運動にもかかわり、言語芸術だけでなく、造形分野の作家たちとも交わりながら、その後の創作活動の土台を築きます。アンダーソンにとっては、おそらくその体験も、遅れて授かった幸せな「大学生活」の一部だったのでしょう。

　一方で、家庭生活と仕事との両立においては、困難を抱え続けました。生涯で4度の結婚と3度の離婚。シカゴ・ルネサンスへ参加する前年には、失踪事件を起こし、4日後に心神喪失の状態で発見されます。当時の彼は、昼はペンキ販売会社の経営、夜は小説の執筆という生活を送っていましたから、無理がたたって心身に不調をきたしていたんでしょうね。しかし、会社経営と創作のはざまで揺らぎつつも、アンダーソンはますます文学の世界に惹かれていったようです。

　自己のネイチャーは執筆の時間を強く欲しているにもかかわらず、ビジネスに多くの労力を割かれる日々。アンダーソンは次第に自分の「声」がすり減りつつあることを自覚していたのだと思います。

そして、これ以上はもう無理だという水準まで生命力の低下を感じたところで、意識・無意識とを問わずに、状況からの脱出を試みたのでしょう。

ある日、自身が経営する会社に勤務中、事務員に対して、「長いこと川のなかを歩き続けたので、両足が濡れてしまった（I have been wading in a long river and my feet are wet.）」と判然としない言葉を残して、姿を消してしまったのです。

もちろん、残された社員や家族からするとたまったものではありません。しかし、アンダーソンはこの事件を転機として、会社の経営から身を退き、シカゴ・ルネサンスの渦中にもまれ、それまで耳にしたことのない多くの「声」とふれあうことになります。そして、43歳の年に代表作『ワインズバーグ、オハイオ』（*Winesburg, Ohio*, 1919）を出版して、遅咲きながらもアメリカの「声」を担う文学者として、その地位を確立しました。

では、アンダーソン文学の特徴とはなにか。彼はビジネスと創作とのはざまを往還しながら葛藤を繰り返すことで、自身の思考や確信を強めていった人間です。ですから、その作品世界も、彼自身の生き様と密接に連動しています。

南北戦争後、アメリカでは産業革命によって、重工業を基盤とした近代資本主義が急激に拡大しつつありました。しかし、アンダーソンはその動向を手放しで喜ぶわけにはいきませんでした。外面的には発展し続けていた文明社会ですが、その生産至上主義的なありかたと人間本来の営みや喜びとが、次第に乖離しつつあるように感じていたんです。

事実、それまで職人的な手工業で製作されていた多くのものが、大規模なオートメーション化による工場生産に置き換えられるにつ

116

れ、職を失う労働者が日に日に増加していました。経営者（資本家）と労働者たちの格差もますます拡大し、各地で衝突やストライキも起こり始めていたのです。そんな情勢のただなかで、アンダーソンが視線を向けたのは、近代資本主義の波に乗ったカーネギーやロックフェラーのような都市部の成功者ではなく、むしろ、そこからこぼれ落ちていく人々でした。

　20世紀初頭、『ワインズバーグ、オハイオ』が出版されるころになると、アメリカでは都市部と地方との人口比率がほぼ同数にまで到達します。アンダーソンが生まれたときには200万人足らずだったニューヨークの人口も、約40年で3倍近くにまで急増しているんですね。地方から都市部への人口移動が本格的に始まったのが、ちょうどそのころでした。しかし、アンダーソンのまなざしは時代の潮流にあらがうように逆行します。地方から都市部というよりは、都市部から地方への帰還や移動を余儀なくされた人たちに寄り添っていくんです。

　アンダーソンの作品ではそういった時代背景が巧みに用いられ、都市部と地方、文明と自然とが対比的に描き出されています。そして、前者で疎外され、望まぬ孤独に陥っている人々に焦点を絞っていく。しかも、その描写が外側から客観的に描くというのではなく、不器用な人々の内側にするりと入り込んで心理を浮き彫りにする。それがアンダーソン文学の最大の特色といっていいでしょう。

　それに加え、ホイットマンを敬愛していたにもかかわらず、彼のようにからりと乾いた叙事的な語り口ではなく、きわめて抒情的で湿度が高いんです。閉塞的な世界で孤立している人々を勇ましく鼓舞するのではなくて、背中をさするような筆運び。隣に腰かけて「うん、うん」と首を縦にふりながら、相手との同期を試みる。

そんな語り口なんですね。

アンダーソンの詩作品

　自らのネイチャーに根差した文学作法と、ホイットマンへの強いあこがれ。別の言葉で言い換えれば、小さく弱いものへのまなざしと、大きく強いものを仰ぎ見る視線。一見すると、両者は共存が不可能なように感じられます。しかし、両極にも見える視座を融合させることで生まれたのが、アンダーソンの詩作品です。

　アンダーソンは生前に2冊の詩集を出しています。第1詩集は『ワインズバーグ、オハイオ』が世に出る前年、1918年に出版された『中西部アメリカの聖歌』。わずか数か月のうちに勢いにのって書かれたせいもあって、アンダーソンの油田が一気に噴出しているような、そんな荒々しさが残っています。2冊目に比べても、ホイットマンの影響が色濃く感じられる詩集です。

　まずは「序文（Foreword）」から。使用するテキストは『シャーウッド・アンダーソン全詩集——中西部アメリカの聖歌／新しい聖約』（*Mid-American Chants*, John Lane, 1918）です（白岩英樹訳、作品社、2014年）。

I do not believe that we people of mid-western America, immersed as we are in affairs, hurried and harried through life by the terrible engine—industrialism—have come to the time of song. To me it seems that song belongs with and has its birth in the memory of older things than we know.　　　　　　　　　　　　　　　　(p.7.)

「わたしたち中西部アメリカの人間は仕事づけにされ、恐ろしいエンジン——産業主義——によって一生せきたてられ、苦しめられています。わたしたちが歌の時代に到達しているとは思えません。歌はわたしたちが知っているよりも古いものの記憶に関係があり、起源もそこにあるように思われるのです。」

that 節の主語 "we people of mid-western America" と、動詞句 "have come to" とのあいだに長い挿入句が差しはさまれた、息の長い文章で始まっています。そのせいで、まるで原始世界の神話のような雰囲気が醸し出されているんですね。ここで語られているように、「歌（song）」という言葉も、詩集のタイトル「聖歌（chants）」と並んで、原始の世界に直結する概念です。「歌」も「聖歌」も、つまるところは我々がずっと見てきた「声」のことなんですね。

　ネイチャーが原始性を帯びた事象によって賦活され、そこから生み出されるのが「声」です。しかし、「**産業主義**（industrialism）」のベースには生産性第一の能率主義がありますから、ネイチャーの賦活など気にもとめません。比喩のみならず、現実としてベルトコンベヤー式の産業主義に追い立てられ、小突きまわされる人々の痛苦。それが "hurried" と "harried" という類似した音が繰り返されることで、悲鳴のように響きます。

　農村から都市へ流入し、時代の潮流に乗るべく、あがきもがき続けたにもかかわらず、自らの「声」を失っていった人々。彼らは根こそぎ大地から引き離され、アンダーソンの目の前で苦悶にあえいでいました。一方で、産業主義は次第に能率的な生産体制を徹底し、その結果として「人間不要」という矛盾した状況を作り出していま

した。人間に資するはずの文明が、人間を疎外する。シカゴでその現実に直面したアンダーソンは、序文の最終部で、人々の「声」を取り戻すために歌を詠うのだと宣言し、自ら救世主の役割を買って出るのです。

For this book of chants I ask only that it be allowed to stand stark against the background of my own place and generation. Honest Americans will not demand beauty that is not yet native to our cities and fields. In secret a million men and women are trying, as I have tried here, to express the hunger within and I have dared to put these chants forth only because I hope and believe they may find an answering and clearer call in the hearts of other Mid-Americans.

(p.8.)

「この聖歌集を成立させるために必要なこと。それは、わたしが自分自身の場所や世代の原点に向き合い、しっかりと立ち上がることです。それさえ出来れば十分なのです。誠実なアメリカ人たちは、わたしたちの街や畑にまだ根付いていない美しさを欲しがったりはしないでしょう。わたしがここで試みてきたように、水面下で心の飢えを表現しようとする男女は無数にいます。だからわたしは思い切ってこれらの聖歌を発表してきたのです。わたしはひたすらに願い、信じているのです。彼らがほかの中西部アメリカ人の心の中に、相手に呼応する明確な呼び声を見出すことを。」

「わたし自身の場所や世代の原点（the background of my own place and

120

generation)」や「根付いた（native）」という言葉が、「声」の起源として語られています。「ネイチャー（nature）」と交感している状態が、まさしく「根付いている（native）」ということですからね。母国にいることが"native"という状況に直結するわけではない。自分自身のネイチャーが外的ネイチャーと呼応しあうことで初めて「声」が蘇生され、それによって、他者との関係性もより活性化するというわけですね。

　都市文明のただ中で窒息し、「声」を喪失しかけている無数の人々。アンダーソンは詩を詠うことによって、彼らへ手を差しのべるのだと、まるで祈るように語ります。ホイットマンとはまた違った立場から、「預言者」として「声」を発しようとしている。

　では、実際に代表的な詩を見てみましょう。ホイットマン流の自由律で、形式よりは内容に比重が置かれています。「中西部アメリカの祈り（Mid-American Prayer）」の一節から。

I sang there—I dreamed there—I was suckled face downward in the black earth of my western cornfield.
I remember as though it were yesterday how I first began to stand up.

…. The corn stood up like armies in the shocks.

When I was a boy I went into the cornfields at night. I said words I had not dared to say to people, defying the New Englanders' gods, trying to find honest, mid-western American gods.

(pp.69-70.)

「わたしはそこで歌った——そこで夢を見ていた——西部に広
　　がるトウモロコシ畑の黒い大地で、土と向き合いながら
　　育った。
初めて立とうとしたときのこと、それをまるで昨日のように覚
　　えている。

……トウモロコシは束ねられて軍隊のように立っていた。

子供のころ、わたしは夜にトウモロコシ畑へ入っていった。
　　勇気がなくて人には言ったことのない言葉を口にした。
　　ニューイングランド人たちの神々に反旗をひるがえして、
　　誠実な中西部アメリカの神々を見出そうとしたのだ。」

「西部に広がるトウモロコシ畑の黒い大地（the black earth of my
western cornfield）」というフレーズが非常に印象的ですよね。産業主
義や近代資本主義が支配する都市文明とは別の世界観が、揺るぎな
い土台として描かれています。

　「わたし（I）」は黒い大地と呼応的に向き合って、ようやく立ち
上がることができる。つまり、「わたし」自身のネイチャーが、「地
に足がついた（native）」状態を創ることができるんですね。たとえ
オートメーション化された工場から追いやられ、居場所や尊厳を奪
われたとしても、そこから「声」を再生する素地を作り直すことが
できる。

　引用箇所の中盤からは、工場の機械に抵抗するかのように、古く
から大地に根差すトウモロコシが主要なモティーフとして描かれて

います。人間や動物の肉体を養う食物として、さらには精神的な支柱として。すべての中心にある基軸は、能率や効率ではなく、生命そのものです。古くから変わらずに延々と続けられてきた、営みとしての生命。

アンダーソンに言わせると、その生命を賦活するどころか、むしろ委縮させてきたのが「ニューイングランド人たちの神々（the New Englanders' gods）」なんですね。事実、ピューリタンたちは求道的なあまり、自他に対して過度な自制を強いる傾向がありました。ですから、それによってネイチャーまでもが削がれてしまうことさえ、多分にあったのです。あの「十三の徳目」を完遂したフランクリンでさえ、合理・実利主義という新たな時代精神によって、極端なピューリタニズムから人々を解放したわけですからね。推して知るべしでしょう。

しっかりと大地に足をつけてトウモロコシの世界へ入っていく「わたし」。そうすることで、語り手はピューリタニズムから解放され、さらには能率主義へ通ずるフランクリン流の合理・実利主義からも自由になって、自らの「声」を蘇生させようとしているのです。

土地には土地の神が存在し、その風土や歴史に応じた生き方や価値観というものがある。アンダーソンはそのような普遍的な事実をこの詩で表現しようとしているんですね。いってみれば、アンダーソン流のローカリズム宣言です。それぞれのネイチャーをベースにしたローカリズム宣言。

ホイットマンの場合はカタログを用いることで、個々の事物や事象から一気に視座を上昇させ、宇宙をも包含する普遍へと至ろうとしていました。それに比べてアンダーソンは、「土と向き合いながら（face downward）」という箇所からもわかるように、下の方へ向

かいます。同じ普遍へ至るにしても、ゆっくり降りていくんですね。そのことが詠われている作品が『新しい聖約』（*A New Testament*, Boni and Liveright, 1927）と題する二冊目の詩集に所収されています。「死（Death）」という詩の冒頭です。

I do not belong to the company of those who wear velvet gowns and look at the stars. God has not taken me into his house to sit with him. When his house has burned bright with lights I have stayed in the streets.

My desire is not to ascend but to go down. My soul does not hunger to float.   (p.25.)

「ベルベットのガウンを着て星を見ている人たちがいるけれど、わたしは彼らの仲間には加わらない。神はわたしを家へ連れていき、いっしょに腰かけさせるようなことはしない。神の家が明るい光を放ちながら燃えさかっているとき、わたしはずっと往来にいる。

わたしの望みは上っていくことではなく、下っていくこと。わたしの魂は宙を舞うことなど渇望してはいない。」

アンダーソンが 40 代のころに 10 年ほどかけて、ゆっくりと書きつづった詩集です。そのせいもあって、第 1 詩集に比べると、かなり形式が洗練されています。「ベルベットのガウン（velvet gowns）」というのは、おそらく聖職者のなかでも上層部の人たちを指しているんでしょう。「わたし」は彼らのように理念ばかり仰ぎ見ることもなければ、神の世界への上昇志向を抱いているわけでもありま

せん。どんなときもストリートにとどまって、一個の人間として
生きている。あくまで地面に足をつけて、「下っていくこと（to go
down)」を望んでいるというんです。この語り口からは、「わたし」
がキリストや仏陀さながらの行為を実践していくさまが予見されま
す。腰をかがめて地に膝をつき、道ばたへ倒れる人々へ手を差しの
べる。そして、大地をはい、もろく儚い者たちとともにあろうとす
る。そんな献身的な行為ですね。しかし、詩的想像力を携えたアン
ダーソンのまなざしは、さらに下方へと向かっていくんです。

When I am strong and the noise of the cities roars in my ears it is
my desire to be a little mole that works under the ground.
I would creep beneath the roots of grass.
I would go under the foundations of buildings.
I would creep like a drop of rain along the far, hair-like roots of a
tree.

When springs come and strength surges into my body I would creep
beneath the roots of grasses far out into the fields.
I would go under fields that are plowed.
I would creep down under the black fields. I would go softly,
touching and feeling my way.

I would be little brother to a kernel of corn that is to feed the bodies
of men.   (pp.25-26.)

「街の騒音がやかましく聞こえてくるとき、わたしが丈夫であ

るのならば、望むのは地中を動く小さなモグラになること。
わたしは草の根の下を這っていくだろう。
わたしはビルの土台の下を進んでいくだろう。
わたしは髪の毛のような木の根っこに沿って這っていくだろう。
一滴の雨粒さながらに。

春になって体内に力が満ちてくれば、わたしは草の根の下を
這って、はるか遠くの畑まで行くだろう。
わたしは耕された畑の下を進んでいくだろう。
わたしは黒い畑の下を深く掘り進んでいくだろう。わたしは手
探りで道を確かめながらそろそろと進んでいくだろう。

わたしはトウモロコシの粒の弟になるだろう。トウモロコシの
粒は人々の肉体を養うのだ。」

「小さなモグラ（a little mole）」というのが、詩作品ならではの表現
ですよね。ホイットマンの「わたし（I）」もさまざまな存在に姿を
変えて、きわめて多様な世界から草の根民主主義を詠っていました
が、アンダーソンの詩的想像力も彼独自の感性を介して、世界のあ
らゆる存在をすくいとろうとします。アンダーソンの「わたし（I）」
は、文字通りに草の根まで下降運動を展開していくんですね。
　モグラと化した「わたし」が地中を進んでいくにあたっては、
「這っていく（creep）」という言葉が何度も使われています。目的を
定めて一直線に突き進むのではなくて、うねうねぐねぐね進んでい
るイメージ。この動きは、ホイットマンの「ぶらぶら歩く（loafe）」
と重ね合わせて読むと捉えやすくなります。どこへ行くのか自分で

もよくわかっていないけれど、だからこそ「手探りで道を確かめながら（touching and feeling my way）」、全身をくねらせながら地中を進んでいく。そして、自分自身のネイチャーに応じた方向へ未知の穴を掘り進めていく。

また、「ビル（buildings）」というのは、おそらく都市文明の象徴ですよね。しかし、モグラの「わたし」はその土台よりも深いところを掘り進みます。そして、「はるか遠くの畑まで（far out into the fields）」到達している。「死（Death）」というタイトルからはまったく予想がつかない動きですが、これがアンダーソン固有の想像力なんですよね。ホイットマンの想像力は、水平方向から宇宙へ向かって爆発するような趣がありましたが、アンダーソンはとことん大地に根付こうとする。水平方向から地中へ向かって「そろそろと進んでいく（go softly）」。これはこれで、ホイットマンとは異なる粘りや力強さが表現されていますよね。

本来のネイチャーが有する、一筋縄では割り切れない生命観。今回のキーワードに挙げた「**大地に根付いた独立宣言**（Earth-based Declaration of Independence）」というのは、アンダーソンにしか成しえない独立宣言でしょう。彼の詩的想像力はアメリカの独立だけではなく、根源的にはどこにも属しえない各地それぞれの独立を表現しえているんです。

それに加えて、同じ作品の最終部で「わたし」は「トウモロコシの粒（a kernel of corn）」にまで姿を変え、人間の食糧になります。そして、内側に入り込んで、「人々の肉体を養う（feed the bodies of men）」。このような「わたし」のありようが表しているのは、紛うことなき「**循環**」の概念ですよね。

ホイットマンは世界から夾雑物をはぎ取り、すべてを原子レベルまで削ぎ落とすことで、循環し続ける地球や宇宙の姿を露呈させ

ていました。が、アンダーソンは、彼自身の人物描写と同じように、するっと内側に入り込むんです。彼の想像力は大地のなかを這い、人々の臓器に消化吸収され、その排泄物は土地を潤し、また植物の滋養となる。循環運動さえ、内側から想像し、さらなる動きを創造していくんですね。

しかし、「街（Cities）」と題された作品では、その循環運動が都市文明のただ中で断ち切られつつある様子が描かれています。

> My tears shall be many and shall make a broad river over which birds shall fly in the light of a morning.
> My tears shall mature a stalk of corn that shall feed a little mouse that shall nibble forever at the foundation of buildings within which the fancies of man have decayed. (p.47.)

「わたしはぼろぼろ涙を流して、大きな川を造る。鳥たちが、朝陽を浴びながら川の上を舞うだろう。
わたしの涙はトウモロコシの茎を成熟させる。トウモロコシの実は一匹の小さなネズミを養うだろう。ネズミはビルの土台を休むことなくかじり続けるだろう。人々の空想はビルのなかで衰えていく。」

事物や事象が次々と連携され、循環運動自体に内包される継承が順調に運んでいるように見えます。しかしながら、大量の「涙（tears）」が起点になっていることからもわかるように、全体には鎮魂歌さながらの悲壮な雰囲気が漂います。

もちろん、＜涙 → 大きな川（a broad river）→ トウモロコシ（corn）

→ 一匹の小さなネズミ（a little mouse）＞という一連の動きを見る限りは、そのまま循環運動へ到達するように思われます。しかし、次の一文で転調してしまうんですね。

　都市には「ビル（buildings）」が林立し、そのなかでは人々の「空想（fancies）」が朽ちている。ここで使われている「空想」は、創造（クリエイション）へ至る想像（イマジネイション）の謂いでしょう。それらを盛んにするには、内面のネイチャーが活き活きとうごめいていることが必須です。そうでなければ、人々は与えられた枠内に自己を押し込めざるを得なくなり、未知の視座から世界を眺めたり、新たな枠組みを創り出したりすることが不可能になってしまいます。

　このままでは、人々が都市文明に呑みこまれ、空想を鈍らせていくのは目に見えています。それでも、ネズミは屈することなく、いつまでもビルの土台をかじり続ける。もしかすると、アンダーソンは自身の著述をネズミに喩えているのかもしれません。どれだけペン先に力を込めても、なにも変わらないのかもしれない。けれど、詠い、語り、書き続けるしかないのだ、と。書き手としての悲痛な叫びが耳に残るような作品です。

　アンダーソンは自分自身の無力を痛感しつつも、「預言者」としての苦悩と真っ向から向き合います。「声をなくしたひと（The Dumb Man）」には次のような記述が見られます。

Why was I not given words? Why was I not given mind? Why am I dumb? I have a wonderful story to tell but know no way to tell it.

(p.59.)

「どうしてわたしは言葉を授からなかったんだろう？　どうし

て精神を授からなかったのだろう？　どうして声をなくしてし
まったんだろう？　語るべきすばらしい物語があるのに、それ
を伝える術を知らないのだ。」

表現すること、言葉にすること、さらに根源的な意味では「声」を
発すること。それらの務めが遂行できないという悲嘆が詠われて
います。しかし、それは裏を返せば、言葉による表現への信頼や、
「声」の再生に対する強烈な願望の現われでもあります。どうすれ
ば言葉や「声」を取り戻せるか。それがかなわないのはどうしてな
のか。「言葉工場（Word Factories）」という詩ではそのことが詠われ
ています。

The female words have found no lovers. They are barren.

It was not God's wish that it be so.

I am one who would serve God.

Have not my brothers the male words been castrated and made into

eunuchs.

I would be nurse to many distorted words.

I would make my book a hospital for crippled words.　　　　(p.86.)

「女の言葉たちは恋人を見つけられずにいる。子をはらむこと
が出来ずにいる。
それは神の願いではなかった。
わたしは神に仕える身なのだ。

わたしの兄弟たる男の言葉たちは去勢され、断種されてきたの
ではなかったか。

　わたしは看護師になって、ゆがめられた多くの言葉たちの面倒
を見るだろう。
　わたしは歩けなくなった言葉たちのために、自著を病院にする
だろう。」

言葉を人々の状況と重ね合わせることで、擬人化しています。内
なる思いと外的環境とを呼応させられずに、日に日に消耗してい
く人々。都市文明に埋もれ、内的ネイチャーと外的ネイチャーと
の交感が行われない状態が続けば、「声」がすり減っていくのは必
然でしょう。アンダーソンはその状況を「恋人を見つけられずに
いる（have found no lovers）」と書き、「声」を発せられない苦しみを
"barren" という語彙で表しています。

　いうまでもなく、このような状態は神が望んでいることではない
はずです。しかも、「わたし」が仕えているのは、大文字の "God"
ですから、どうやら「ニューイングランド人たちの神々（the New
Englanders' gods）」とは別物のようです。そうではなくて、もっと大
きな存在。いわゆる "something great"。ちょうど、エマソンが大文
字の "Nature" で表現しているような存在ですね。

　そして、「女の言葉たち（the female words）」だけではなく、「男の
言葉たち（the male words）」も「声」を失っていることが "castrated"
や "eunuchs" という衝撃度の強い言葉で表されています。やはり、
男たちもネイチャーとの交感を絶たれ、内なる「声」を消失してい

るのでしょう。当時、職人的な仕事や肉体労働は、都市部から次々
と機械に置き換えられつつありました。時代背景としても、そう
いった仕事への従事率は男性のほうが高かった。それに加えて深刻
なのは、彼らが失職だけではなく、自信や尊厳まで喪失する危機に
さらされていたことです。男たちは近代資本主義と産業主義の陰で、
「声」をますます摩耗させていたんですね。

　しかし、アンダーソンはそこから "would" を連用することで、預
言者としての決意表明を行うんです。自分自身のことだけでなく、
ネイチャーに根差した他者の「声」や言葉を生き返らせるために、
ケアに徹するというんですね。その本拠が、病院に喩えられる「自
著（my book）」。腹の底からの言葉で人々の苦しみに寄り添い、ネ
イチャーとともにある「声」で彼らの痛みを癒やす。そのために
「わたし」が専念しなければならないのは、土地の記憶や生命の本
質といった外的ネイチャーと手を携えることだと言います。

It is time for the old men to come back out of their sleeping stupor.
They must sit again at the edge of the cornfields.
The words of our lips are being destroyed.
They are undernourished and work in the factories. (p.87.)

「いまこそ、感覚を失ったように眠り続ける老人たちが目を覚
ますときだ。
彼らは、ふたたびトウモロコシ畑の境界にすわっていなくては
ならない。
わたしたちの唇から出る言葉が破壊されつつあるのだ。
言葉たちが栄養不良のまま、工場で働いているのだ。」

"sleeping stupor" というのは泥のように眠っている状態です。ちょっとやそっとでは起きない昏睡。「老人たち（the old men）」とは、大地に根差し、トウモロコシとともに生きていた人たちのことでしょう。彼らは産業主義や近代資本主義の論理から真っ先にこぼれ落ち、お払い箱と同様の扱いを受けていました。ひとが機械文明に追いやられ、その存在自体が「機能」としてしか見なされなくなった時代。そのような人間危機の時代にこそ、彼らに目を覚ましてもらわねば、戻ってきてもらわねばならないというんですね。

　しかも、その老人たちにいてもらう場所は、トウモロコシ畑の「境界（the edge）」です。おそらく、彼らに門番のような役割を担ってもらおうというんでしょう。ここから先には行かせないし、ここから先への侵入は許さない。アンダーソンより時代は下りますが、**J・D・サリンジャー**（Jerome David Salinger, 1919-2010）の『キャッチャー・イン・ザ・ライ』（*The Catcher in the Rye*, 1951）を彷彿とさせるところがあります。「いんちき（phony）」だらけの社会で傷ついた無垢な子供たちをつかまえる存在。サリンジャーにとっての無垢という概念は、むき出しのネイチャーと捉えてよいでしょう。内なるネイチャーが全開の状態ですね。アンダーソンの言葉でいえば「グロテスク（grotesque）」。ですが、その起点を失ってしまったら、生命力や「声」の賦活もありえません。修辞の差異こそありますが、アンダーソンもサリンジャーも、その認識は共通しています。

　最後の二文で語られる「言葉（the words）」も、これまで見てきた「声」と同義の表現と捉えてまちがいないでしょう。機械文明の興隆や生産性第一の能率主義には、もうあらがいようがないかもしれ

ない。それでも、自他の「声」を目いっぱいケアして、再興できる場と機会だけは確保しておかねばならない。新たな価値観の想像も創造も、そこからしか始めようがないですからね。現代にも通ずる真理だと思います。

　ホイットマンは自己の限界を感じつつも、実際に看護師として他者のケアに努めました。どのような種類であれ、痛苦を抱える人々に手を差しのべたいという思いは、アンダーソンも同じです。自著を治療とケアが行われる病院に見立て、創作自体をケアラーの営みへ昇華させようとしている。最後にそのような願いがあふれる詩作品を読んで、今回を終えようと思います。タイトルは「カウチに横たわるひと（Man Lying on a Couch）」です。

I am a tree that grows beside the wall. I have been thrusting up and up. My body is covered with scars. My body is old but still I thrust upwards, creeping towards the top of the wall.

It is my desire to drop blossoms and fruit over the wall.

I would moisten dry lips.

I would drop blossoms on the heads of children over the top of the all.

I would caress with falling blossoms the bodies of those who live on the farther side of the wall.　　　　　　　　　　　　　　　　(p.89.)

「わたしは壁のそばに立つ一本の木。上へ上へと伸び続けてきた。体は傷だらけで年老いているけれど、まだ伸び続けている。這うようにして、壁のてっぺんを目指している。

わたしは切に願っている。壁の向こうへ花や果実を落とすことを。

わたしは乾いた唇をうるおすだろう。

わたしは壁のてっぺんを超えて、向こうの子どもたちの頭上へ花を落とすだろう。

わたしは壁のずっと向こうへも花を落として、人々の体をやさしくなでるだろう。」

第一連では、一本の樹木と化した「わたし（I）」の生き様が描かれています。満身創痍の老木ですが、いまだに成長し続けている「わたし」。その動きを表すのに使われている単語は、やはり "creep" です。「死」という作品では、モグラが地中を手探りしながら這いつくばる動きが "creep" で表現されていました。が、ここでは、全身でうねうねぐねぐねと、まるで虚空を掴むように伸び続けているんですね。

「わたし」は自分自身の生命を保持するだけでも精一杯な境遇なのに、なぜそんなに必死なのか。それが第二連から結末にかけて、段階的に明らかにされます。「花（blossom）」や「果実（fruits）」というのは、語り手「カウチに横たわるひと」の想像や創造、ひいて

は作者アンダーソン自身の「声」や作品の暗喩（メタファー）と捉えてよいでしょう。

　作中で描かれる樹木は十全の状態とは言えませんし、それは「カウチに横たわるひと」の「声」も同じです。ゆたかな肺活量から発せられる高らかな「声」ではありません。ここまで見てきておわかりのように、もちろん作者アンダーソン自身の「声」も。

　しかし、そのような小さな声の持ち主だから、転換期の篩（ふるい）から真っ先にこぼれ落ちていく人々の悲鳴を聞くことができるのです。今回のキーワードに挙げた「**アメリカのかそけき声**（American small voices）」とは、まさしく彼らが授受しあう微（かす）かな声のことです。自らの生命が内包する脆弱性（ヴァルネラビリティ）に意識的だからこそ、より弱い者たち（the weaker）の存在に気づき、彼らの「声」を聴くことができる。

　向こう側にいる人たちは、飢えと渇きで「声」を失いつつあります。どうやら壁の向こうにある世界でも、彼らの存在を感知し、「声」を聴きとろうとする者はいないようです。そこで、＜わたし＝樹木＞の出番です。自身の脆弱性を強く意識することで可聴域を拡張した＜樹木＝カウチに横たわる男＝アンダーソン＞。彼らは、自らの＜花や果実＝想像や創造＝声や作品＞を伝播して、乾いた人々の「声」を取り戻そうとしているんです。

　そして、最弱者（the weakest）としての子どもを含め、遠くの人々へも花びらを落として「やさしくなでてやる（caress）」というんですね。この "caress" という行為は、治療（cure）が不可能になったとしても、それでもなお残されるケア（care）の究極のかたちといってよいでしょう。ちょうど、傷病兵をケアしていたホイットマンが、祈る思いで彼らのそばにとどまり続けたのと同じように。

　そうはいっても、治療や行為を伴わないケアや祈りになど何の意

味もない。そのように考えるひとがいるかもしれません。もちろん、そういった側面もあるかもしれない。あらゆるケアや祈りが、プラクティカルな治療や行為に匹敵するとは限りませんからね。それでも着目しなければならないのは、ケアや祈りの根源が個人の内面に由来しているということです。

　日本語でケアというと、現代社会では老人介護のような場面が真っ先に思い浮かびます。フィジカルな世話としてのケアですね。けれど、"care" という言葉は身体・物理的な「世話」というよりも、精神・心理的な「心配り」のほうに語源があります。「あのひととはどうしているだろう」とか、「あのお方がご無事でありますように」というように、字義通り「心」を他者へ「配る」こと。それが元来のケアなんですね。フィジカルな領域でのケアはそこから派生しています。

　ですから、本義からすれば、ケアと祈りとは同義の関係にあると同時に、決して外的他者から強制されるものではないはずです。あくまで、内なるネイチャーに根差したものが本来のケアであり、真の祈りなんですね。そのように考えると、百歩譲って、ケアや祈りが他者に対して無に等しいとしても、自己のありように影響しないはずがありません。内的ネイチャーの最深部から湧き上がる、外的ネイチャー（他者）への切実な思い。それこそが「声」の生成へとつながっていくのですから。逆説的ですが、自己の内なる「声」とは他者に対する思いによって成り立っているわけです。我々の存在自体をもっとも賦活する「声」の呼応も交感も、そこが端緒となって生じているんです。

　フランクリンの回でもふれたように、18世紀末から19世紀にかけて、合理・実利主義は近代資本主義を加速させ、個々の人間を自

己の利潤追求に駆り立てました。断るまでもないことですが、そこから生み出された資産や成果は、生きることのほんの一側面に過ぎません。にもかかわらず、近代資本主義は生産性ベースの産業主義と手を結び、さらには著しく発展しつつあった都市文明と結託することで、あらゆる価値判断を市場に一任してしまった。きわめて多面的であるはずの人間存在が、あたかも市場原理だけで計量できるかのような心得違いが、あっというまに社会へ浸透していったのです。そうなると、個々人が自分のことしか考えられなくなるのは必然です。そうしなければ、自分自身が社会から不要な存在とみなされる危険性が生じてしまうのだから。

　人間そのもののありように注目したとき、近代というのは「自我中毒」が蔓延し始めた時代でもありました。「自我中毒」を起こすと、内面が自己に関する観念で満杯になってしまいます。すると、本来ならば外的ネイチャーを取り込んで、そこから他者と呼応しあうはずの内的ネイチャーが身動きをとれなくなってしまうんですね。

　アンダーソンは自分自身がものを書くことの意義を「**自我の病**（disease of self）」からの解放と捉えていました。内的ネイチャーを外に散らす。つまり、ケアや祈りに匹敵するほどの想像力を他者へ向けることで、アンダーソンは自らの「声」を多声化していったんです。それによって、彼の可聴域はますます拡張され、「声」を喪失しつつあった人々の内面に耳をすますことが可能になった。

　アンダーソンが「アメリカのかそけき声」を聴きとれたのは、もちろん、彼自身が生きづらさを抱え続けたからともいえるでしょう。何度も「声」を喪失する経験を重ねてきたからこそ、想像力を駆使して、同様の痛苦を共有する人々へ寄り添うことが出来た。しかしながら、それだけでは「アメリカのかそけき声」自体も単声化して、

アンダーソンの代で途絶えてしまったに違いありません。

　聴き手の可聴域次第ではいかようにも聴こえうる。アンダーソンの「声」は小さな声でありながらも、そのような潜在力を秘めているんですね。ノーベル文学賞を受賞した**ウィリアム・フォークナー**（William Faulkner, 1897-1962）のみならず、20世紀後半に活躍した**レイモンド・カーヴァー**（Raymond Carver, 1938-88）や**チャールズ・ブコウスキー**（Henry Charles Bukowski, 1920-94）といった、対極とも捉えうる作家がアンダーソンに対する賛辞を惜しまず、いまなお多くの文人たちがアンダーソンの影響を自認しているのは、その証左といってよいでしょう。

　実は、日本を代表する「声」の詩人、**伊藤比呂美**さんもそのおひとりです。意外！　に思われた方もいるかもしれません。が、伊藤さんは生粋のアンダーソン・ファンであると同時に、20年にもおよぶアメリカでの生活を経て、大地に根差した濃密な「声」をご自身の内側に取り込んだ、稀有な詩人なんです。次回は、ゲスト講師としてお招きして、アンダーソン文学、さらには彼から派生し続ける「声」に対して、新たな光を照射していただこうと思っています。

参考訳

シャーウッド・アンダーソン『シャーウッド・アンダーソン全詩
　　集：中西部アメリカの聖歌／新しい聖約』白岩英樹訳（作品社、
　　2014年）

シャーウッド・アンダーソン『ワインズバーグ、オハイオ』上岡伸
雄訳（新潮文庫、2018 年）

論点

(1) フランクリンが新聞を発行したり、ホイットマンが新聞記者
を務めたりしたように、アンダーソンはコピーライターを経
て詩や小説を書き始めました。同様に新聞記者や編集者の仕
事を経験したのちに創作を開始したアメリカの作家に、**マー
ク・トウェイン**（Mark Twain, 1835-1910）や**アーネスト・ヘミン
グウェイ**（Ernest Hemingway, 1899-1961）、**トニ・モリスン**（Toni
Morrison, 1931-2019）らがいます。彼らはなぜそれらの仕事
に就いたのでしょうか。また、自らの作品を書くようになっ
たのはどうしてでしょうか。各作家の志向や地域の特性、メ
ディアの発達との関連を調べてみましょう。

(2) 詩作によって抽象化された人々の「かそけき声」を聴きとっ
たように、アンダーソンは連作短篇小説『ワインズバーグ、
オハイオ』において、架空の街に住む人々に耳を傾けました。
同様に、**山本周五郎**（1903-67）は『青べか物語』（1960）で
「浦粕」を、**佐藤泰志**（1949-90）は『海炭市叙景』（1991）で
「海炭市」を舞台にすえて、地方都市に生きる市井の人々の生
活を「群像劇」に仕立てています。各作品の時代背景や登場
人物を中心に、類似点や相違を考えてみましょう。

第7講　伊藤比呂美 (1955-)

KEYWORD

シャーウッド・アンダーソン
ガートルード・スタイン
引用

白岩　今回はゲストに詩人の伊藤比呂美さんをお迎えしています。
　　　さっそくですが、伊藤さんが初めてシャーウッド・アンダーソ
　　　ンの文学に出会ったのはいつごろですか。アメリカへ渡ってか
　　　らですか?

伊藤　ノーノー、ずっと前ですよ。わたしが高校・大学生ぐらいの
　　　ときですね。高校のときも大学のときも、いつもシャーウッ
　　　ド・アンダーソンの『ワインズバーグ、オハイオ』は、アメ
　　　リカ文学の棚に必ずあった。本屋にもあったし、周りにもあっ
　　　たっていう感じなんです。フォークナーとかヘミングウェイと
　　　かそういうのと並んで必ずあった。1冊しかなかったけど、必
　　　ずあったっていう感じ。それで、どこかで手に取ったんですよ
　　　ね。で、高校の終わりか大学の初めくらいに、じゃあ読んでみ
　　　るかと。

白岩　それをきっかけに惹かれたわけですよね。なにに惹かれたん

ですか？

伊藤　惹かれましたね。読んだんですけど、覚えているのが最初の「手（Hands）」しかないんですよ。あれ ばっかり覚えていて。そのあととアメリカに行くようになったでしょう。いろんな人に『ワインズバーグ、オハイオ』大好きとかって言うと、「何であんな気持ちの悪いものを」って何回か言われました。何であんなニューロティック（神経症的）なものを。「何で？」みたいことをはっきりと3回言われたことがある（笑）。

白岩　伊藤さんが住んでいたのはカリフォルニアでしたよね。アメリカのなかでも西海岸だったからということはないですか。燦燦と降り注ぐ陽の光と、きらめく波のイメージ。あくまで風土的にアンダーソンが受け容れられていなかったということではないんですか？

伊藤　でも、そのうちのひとりは中西部の出身だったし、ひとりはイギリス、もうひとりはニューヨークでした。アンダーソンのことは知っていても、それほど評価はしていなかった。わたしとしては、「え？　え？　何で？」みたいな感じだったんです。

白岩　地域性には関係なく不評だったんですね（笑）。じゃあ、彼らは誰の作品が好きだったんですか？

伊藤　ひとりはヘミングウェイ。死んだわたしの夫ですが、全集を買って読んでいましたよ。あと、『ハリー・ポッター』に夢中になっていたかな。

白岩　もともとイギリスの方でしたよね。

伊藤　イギリス人ですね。だから文学はよく読んでいたけど、シャーウッド・アンダーソンには何の興味もなかったみたいです。

　　わたしは、アンダーソンもだけど、もうひとり夢中に読んだ

アメリカの作家がいるんですよ。実は**ガートルード・スタイン**（Gertrude Stein, 1874-1946）もだいぶ読んだんです。

伊藤比呂美
（1955-）
撮影：吉原洋一

白岩　スタインって、あまりアメリカっぽくないですよね。20代の終わりから、ずっとパリで暮らしていましたし。

伊藤　でも、アンダーソンと同じぐらいの時代でしょう？スタインも皆さんに不評なんですよ（笑）。ガートルード・スタインいいよね、なんていう人は周りにあんまりいなくって。これって、日本的な感性なのかしら、アンダーソンとかスタインみたいな、病んだ文学が好きっていうの。

白岩　確かに文学史上の立ち位置は、アンダーソンもスタインも似ていますよね。教科書でしたら、太字とか赤字で強調されてしかるべき作家たち。モダニストとして、前の世代と次の世代とを架橋したキー・パーソンなんですよね。けれど、ひとりひとりに光を当てると、転換期に大きな文学的試行を繰り返しているだけあって、弱点も目立ってしまう。もろ手を挙げて喝采しきれないところがあるんです。

伊藤　その弱点っていうのは？

白岩　アンダーソンの場合は、やはり想像（イマジネーション）を創造（クリエイション）へと持続的に結びつけていくことに困難がありました。**エドワード・ホッパー**（Edward Hopper, 1882-1967）のような一幅の絵画が初めの

モティーフにあって、その前後を文章でつないでいくんですよね。そのイメージに至るまでの物語、もしくは至ったあとの物語を矛盾がないように紡いでいく感じ。アンダーソンがいちばん書きたいのは顕現（エピファニイ）的な一瞬なんです。キリスト教でいう、神が姿を表した瞬間。そこを描きたいがために、何とか前後の話をつづっている。

伊藤　なるほど。

白岩　顕現（エピファニイ）という概念は、**ジェイムズ・ジョイス**（James Joyce, 1882-1941）も小説作法に用いていました。けれど、長篇を執筆したり、多くの短篇の質を維持したりするには、そういう書き方ではもたないところが出てきますよね。長篇でしたらバランスが崩れ、短篇ならば作品間のばらつきが大きくなってしまうわけです。傑作と呼ばれる『ワインズバーグ、オハイオ』にさえ、研究者のあいだでは「不要」とさえ言われている作品がいくつかあるんですよね。「それを言っちゃあ、おしめえよ」と思うんですが（笑）。ガートルード・スタインもそういうところがないですか？

伊藤　スタインについての話を聞きたい、専門家に。どう思います？

白岩　そうですね、スタインの場合、どうしてもスタイルが前面に出てしまうんです。内容と形式とが合致していないというか、調和がとれていないというか。あまりに形式に囚われて、読者が飽きてしまうところもありますよね。

伊藤　スタイルって何ですか。

白岩　スタイルって、文体のことです。スタインは文体の作家と呼んでもいいくらいですよね。何度も同じフレーズを繰り返す。アンダーソンも会うたびにスタインから助言を受けていますし、

実作するうえで大きな影響を受けてもいます。スタインもアンダーソンも、どちらかといえば長篇よりも詩作に向いていたんじゃないでしょうか。事実、アンダーソンはホイットマンに強烈なあこがれを抱いて、詩人になりたかったようですし。

伊藤　いま、スタインの書き方は繰り返しだって言ったでしょう？そのことをスタインの翻訳をやっていた落石八月月〔オチイシオーガストムーン〕に聞いたことがあるんです。戻って行っては、また元に戻って行く。そんなガートルード・スタインの妙みたいなのをね。その技術を詳しく聞いて、すごくおもしろいと思ったんです。ある意味すごくリアルだったの。実は、わたしの友だちにああいう話し方をする人がいたんですよ。アメリカ人じゃなくて、ヨーロッパ人なんだけど。本当にあんな感じで戻ってまた話して、戻ってって。いつまでたっても話が進まないのね。わたしは辛抱強いから、それで、それでって聞いているんだけど、本当にあんな感じなんですよね。アメリカへ行ってすぐ、その人と知り合って仲よくなったんだけど、ちょうどそのころに落石さんの翻訳でスタインを読んでいたんですよね。だから、リアルでしたね、自分の生活そのまんま。わたしにとっては英語そのまんまっていう感じだったな。

白岩　英語そのまんまですか？

伊藤　英語でしゃべる自分というのが自分の生活に入ってきて、そのなかで一番よくしゃべる友だちがガートルード・スタインみたいにしゃべっていたから、「なに、これ？」みたいな。

　　あと、ガートルード・スタインが、おそらく**フロベール**（Gustave Flaubert, 1821-80）からアイデアというか、仕掛けをもらっていますよね。彼の『三つの物語』（*Trois Contes*, 1877）と

いう小説から仕掛けをもらってきて、当時のスタイン自身の興味に合わせて換骨をむちゃくちゃに奪胎して話を作っているじゃないですか。あの『スリー・ライブス』(Three Lives, 1909)っていう作品は、まさにそうじゃないですか。そういった古いひとたちの声をお借りして、新しいものを作る方法。それが、古典に対するぴしっと背筋が伸びた向き合い方だって思って。それをガートルード・スタインに感じたんです。

白岩 古い人たちの「声」から新しいものを作る方法！ 伊藤さんご自身から、前回の受講生のレスポンスと呼応するお話が出ましたので、ちょっと聴いていただいてもよろしいですか。文化学部3回生からのレスポンスです。

> 「自分がいま学んでいることを再認識させられる言葉がアンダーソンの詩にあった。大学生活について誰かに話すとき、いつも「文化学部ってなにを学ぶ学部なの？」と訊かれる。けれど、わたしは文化学部で学ぶことによって、さまざまな文学者や思想家たちの内側から湧き出たものを、わたし自身の内面に注ぎ続けていたのではないか。それは言葉を換えれば、自分自身の内面に対して、他者から手を差し伸べられていたことと同義である。手を差し伸べられてきたわたし自身が、他者に手を差し伸べられるようなものを自らの内側で作っていけたらいいなと考えるようになった。」

この学生さんが書いていることって、伊藤さんがおっしゃったガートルード・スタインの作法につながるんじゃないでしょ

うか。古典の「声」との向き合い方、そこから新しいものを醸成する創作作法。それはまさしく、いまの伊藤さんご自身が取り組まれていらっしゃることに通じていますよね。

四元康祐さん（1959-）が、きわめて的確な伊藤比呂美評をお書きになっていますよね。

> 「伊藤比呂美を読んでいると、およそ書くという行為は、「外部」を本歌取りし、語り直すことに他ならないと思えてくる。（中略）それは羊を襲う狼よりも、細胞を侵すウィルスのイメージに近い。」（四元康祐「変異する・させる伊藤比呂美——荒れ野から河原へ」『続・伊藤比呂美詩集』思潮社、2011年、153頁）

ただでさえすぐれた批評だと思いますが、いまのコロナの時代に読むと余計に響きます。逆にいえば、内側から細胞ひとつひとつを活性化させてくれるものが本当の文化の力なのだと思います。さらにいえば、詩人の力というか、言葉の力というか、「声」の力というか。

いま伊藤さんがおっしゃった、ガートルード・スタインの作法を意識的に継承して、実際に取り組まれるようになったのは、いつごろですか。初めからではないですよね。20代前半のころは、そういう詩ではなかったですよね。

伊藤　そのころの詩はたしかに違いますね。自分が持っているものをとにかく出せばいいだろう、みたいな感じでやっていた気がします。いつごろだろう。20代の終わりに、引用するっていうことにちょっとはまったんですね。そのころ、自分の詩がう

まくなっちゃって、何でも器用に書けちゃうようになったんですよ。けど、詩ってうまくなっちゃだめなんですよね。自分をまねしてしまうので。書いても書いても、いつも自分の詩になっちゃうんですよ。自分の好きな言葉を使って、自分の好きなように詩を書いていると、何だか全部が自分に向かってくるような感じがして、同じような詩ばっかり書いている。これを打開するにはどうしたらいいかって考えて、火葬の文化とか、お墓の歴史とか、そういう本を読んでいて、これがいいなと思ったのを詩のなかにぼんと入れ込む。当時は民族学関連の本を浴びるように読んでいたので、そのあたりからいろんなものを持ってきていたんです。

　このことを学生たちに説明するときは、『となりのトトロ』の例を出すとわかってくれるんです。映画のなかで、声優たちはみんな声優のルールにのっとって、発声して演技をしているでしょう。あのなかでふたり異質なひとがいるんです。ひとりはおばあちゃん、**北林谷栄**（1911-2010）。「もっとこぎな、水がきれいになるまで」みたいな。あれで全然違うリアリティが入ってくるでしょう。もうひとつがお父さんなんですよ。お父さん役は**糸井重里**（1948-）で、素人としてはうまいんだけど、やっぱり声優のルールにはのっとっていないわけ。だから、ぎくしゃくしているの。ただ、あのお父さんとおばあちゃんがいるから、トトロがむっちゃくちゃリアリティを持って、私たちに迫ってくるんだと思うんです。その異質さを自分の核のなかに入れるっていうのが引用だと思った。

　そのうちに古典っていうのに出会って、それを持ち込むようになったんです。すると、何百年もかけて人間がたどってきた

148

道に戻っていく。そこからつながる道をたどっていくと、**無意識**っていうのがあって。わたしたちには、地下水とかマグマみたいな無意識があるんですよ。300年ぐらい前に誰かがそれをしゅーっとくみ上げて、何か書いて、わたしも300年たって全然違う場所でやっぱりそれをしゅっとくみ上げて、自分で飲んだり書いたりしている。その水は、300年前の人がくみ上げた地下水とほとんど同じものだから、読んだひとたちも「わかるわかる」となるんじゃないか。

白岩　実は、前回に読んだアンダーソンの詩に「わたしはビルの土台の下を進んでいくだろう（I will go under the foundation of buildings）」っていう箇所があって、それに対して学生からレスポンスが来ているんです。

> 「アンダーソンの詩に、モグラが地中をうねうね進んで、内面の深いところへたどり着くというものがあった。夏目漱石も、自分の足場を地中へ掘り下げていくという喩えを用いている。深度のある作家たちには、創作姿勢にもどこか共通したところがあるように感じた。それに加え、その比喩が、資本主義や産業革命の「速く、前へ、高く」という合言葉への抵抗としても機能していることがとても興味深かった。」

村上春樹も「井戸掘り」という比喩を頻繁に使いますが、伊藤さんから「深くに潜っていく」という喩えを聞いたのはいまが初めてです。ここのところ強く意識されているんですか？

伊藤　最近、ずっと考えていたんですよね。早稲田の授業で言った

ら、学生たちが「それは先生、ユングの何とかですよ」って教えてくれて。わたし読んでなかったから、学生のほうがものを知っているじゃないかって思っていたところです。

白岩　「集合的無意識」ですよね。**フロイト**（Sigmund Freud, 1856-1939）は個人の無意識に重点を置いたんですが、**ユング**（Carl Gustav Jung, 1875-1961）はそれをさらに階層化したんですね。そして、個人的無意識より深いところに、人類としての無意識があるのだと主張した。我々みんなが共有する集合的無意識が元型としてあるから、たとえ地域や民族が異なっていても、昔話や神話に共通した話型が現れるんだと主張したんですね。

伊藤　本当にそう思う。わたし、ずっと**アノニマス**（匿名）のものが好きだったんですね。白岩さんがアメリカ文学の授業を担当していると聞いたときも、わたしのなかでまっさきに思い浮かんだのは、これですもん（と言って、金関寿夫『魔法としての言葉──アメリカ・インディアンの口承詩』思潮社、1988 年を掲げる）。

白岩　**金関寿夫**（1918-1996）先生。ネイティブ・アメリカンの詩をご研究されていた……。

伊藤　ネイティブ・アメリカンの口承詩ですよね。わたしはこれに興味を持ってアメリカに行って、帰ってこられなくなったっていう人間だから。こういうアノニマスの口承詩が、何でこんなにいいんだろうと思って。だって、全然知らないひとたちによる口承で、口伝で継承したひとたちさえ、誰も知らないんですよ。しかも、文化も違う。でも、いいんですよ。

白岩　文字で書き残すならわかるんです。けれど、口承で伝え続けるには、詩自体に相当な力がないと途絶えてしまいますよね。

伊藤　その力って何なんだろうと思って。それは、人類全体が共有

している「なにか」のような気がするの。わたし、この金関さんの本をたぶん 70 年代の終わりくらいに買って読んでいるんです。そして、思ったの。これは『古事記』の**記紀歌謡**だなって。『古事記』だけじゃない。記紀歌謡って言われている、日本の古いアノニマス歌謡があるじゃないですか。そういうものを現代の日本語に翻訳したら、こんな感じになるんじゃないか。さらには、**アイヌ**の**ユーカラ**とか。あんな感じのアノニマスの、語りのような詩のような、ああいったものにすごく近いと思ったのね。そういうものを読んだり聞いたりして、わたしたち皆が無意識に有しているなにかがあると思っていたし、同じものを持っているような気がしたんですね。

白岩　ちょうど 70 年代に、そのような動きにつながるムーヴメントがあったんでしょうか？

伊藤　あったんです。そのことについて、最近また考えていて、**マーティン・ルーサー・キング**（Martin Luther King, Jr., 1929-68）が公民権運動を始めたのって、いつごろですかね。

白岩　1950-60 年代ですね。

伊藤　公民権運動っていうと堅いけど、結局はブラック・ライヴズ・マターでしょう。黒人だって生きているんだっていう、そういうことですよね。同時に**フェミニズム**みたいなものも、日本では**ウーマンリブ**って呼んでいたんですけど、ありましたよね。女だって生きているんだって。そういった運動が起こることで、マジョリティの人たちはようやく気がついたんじゃないかな。この世界にはいろいろな言葉があるんだと。自分たちマジョリティの言葉ではない言葉もある。マイノリティたちの言葉もある。では、マイノリティの言葉って何なんだろうって。

彼らの言葉はヨーロッパ中心のヨーロッパ文学にビロングしないで、もっと辺境の文化から生まれてきていて、多くの場合は、それはアノニマスで伝えられてきた文化があったんだ……そういったことを土台にして書かれた文学があったんだって、みんなが気づいたわけですよね。それって、公民権運動とすごく近いと思いますよ。わたしも、はっと気がついて読みだした。でも、すべてを読めるわけではないから、それらを翻訳できる能力が現れるのを待ち続けたわけですね。そのころに感銘を受けた学生たちが大人になって、翻訳者になってくれるのを待っていた。たとえば、わたしたちにスペイン語を翻訳してくれるっていうのはラテンアメリカ文学ですよね。あるいはアフリカの言葉とか、いわゆるメジャーではない言葉たちから文学を翻訳して、わたしたちに紹介してくれるひともいる。そういう才能の出現を待つのに、10年とか20年かかったわけ。そんな背景があって、70年代の終わりとか80年代に、わたしたちはいろいろな文学を読んできたような気がする。そして、それらは声を土台にして出来た文学なんですよね。

白岩　シラバスにも書いているんですが、実はこの授業のメインテーマは「声」なんです。アメリカという国家がヨーロッパに従属せずに、文学によって自らの声を見出し、立ち上げていく。そのプロセスを見ていきましょうというコンセプト。

　ですから、ピューリタニズム一辺倒の思潮を転換したフランクリンから始まって、エマソン、ソロー、ホイットマンを経由して……本当はそこからマーク・トウェインに行こうと思っていたんです。けれど、アメリカの「声」の継承・重層性を強調するために、アンダーソンへ行って、そこからさらに、声の文

学そのものとも呼ぶべき伊藤さんにゲストをお願いしたわけだったんです。ですから、いま伊藤さんがマイノリティの声と文学のお話をしてくださって、すべてがつながった感じです。

伊藤　ワーオ！　そうだったんですか。マーク・トウェインといえば、このあいだ、**柴田元幸**さん（1954-）が翻訳した『ハックルベリー・フィンの冒けん』（研究社、2017年）を読んでいて、電車を3回乗りすごしました。東京の地下鉄で読んでいて、降りられなくて。あれはすごかったですね。もちろん子どものときに読んでいたんですよね。だけど、こういう作品だったのかっていうのがわからなかった。

白岩　柴田さんの翻訳に対するこだわりが、ハックルベリー・フィン自身の文体まで日本語で立ち上げようとするわけじゃないですか。ハックが日本語で書いたら、どんなふうになるだろうかと。さすが柴田さんだと、掛け値なしに感動しました。

伊藤　漢字とひらがなをごっちゃにしたりしていてね。ハックだったらこんな漢字は知らないはずだからって、ひらがなで書いていたりするじゃない？　わたし、『MONKEY vol.21.』（スイッチパブリッシング、2020年6月）で柴田さんと対談したんですよ。そのときにも話したんですけど、柴田さん訳のハックを読んだときに、『ホットロード』（紡木たく作）っていう1980年代の少女漫画を思い出したんです。

　漫画って10年にひとりくらいのすごい才能が出てくると、ほかのひとたちがみんなまねするんです。似たものばかりで満たされちゃう、そんな不思議なところがあって。**紡木たく**（1964-）がデビューしたら、少女漫画家たちはみんな紡木たくみたいなことを描いていたのね。

『ホットロード』って、バイクに乗っている暴走族の話なんです。当然、学校なんかろくに行ってないでしょう。漢字書けないでしょう。彼らの会話のなかに、体育がめんどくさいみたいな話があったんです。そのとき、「学校」っていうのが、「学」が漢字で「こう」がひらがなだったんです、80年代初めですね。

　漫画って、もともとひらがなの使用率が高いんですよね。ものすごく難しいことを描いているはずの**萩尾望都**（1949-）とか**大島弓子**（1947-）とか、ああいった人たちですら、全部ひらがなだったりするんです。それがまた不思議な感覚で、わたしは好きなんですよ。**ちばてつや**（1939-）なんかも、みんなひらがなが多いのね。それはルビを付けないことで、子どもたちにも読ませたいっていうこともあっただろうし、そうすることで無意識のうちに読む速度が遅くなるということもあったと思う。

　紡木たくの「学こう」という表記を見たときに、そうか、これもありなんだなと思ったの。柴田さんのハックの翻訳を読んだときに、これなんだなと思ったんです。

白岩　トゥウェインの原文を見ると、「え？」ってとまどいますよね。これ、何の単語だろうって、一瞬とまっちゃう。

伊藤　でも、ネイティブスピーカーに聞いたら、声に出して読むとすごいよくわかるって。

白岩　そうなんですよ。正しいとされるスペルとはまったく違うんですが、その通りに読んでみると、音は表現できているんですよね。数十年前、日本の大学入試で、長文読解の課題文が、すべて発音記号で表記されているという問題があったんです。けっこう難しい部類に入る入試問題だったと記憶していますが、

154

それに近い感じを覚えました。

　ハックはまともに学校教育を受けていませんから、書き言葉は苦手で、どうしても話し言葉に寄りがちなんですよね。実際、教育を受けていないことがばれそうになって、危機に陥ることもあるんですが、そんなときも饒舌な語りで乗り切ってしまう。逆にいえば、それこそがハックのネイチャーが十全に活きる存在のしかたであって、「正しく」書こうとしたら、あんな物語は紡げないように思います。柴田さんの翻訳はそのネイチャーを完璧に引き出していますよね。

　そう、ネイチャーといえば、ある学生さんがレスポンスでこう書いているんです。

　「エマソンやソローのネイチャーが森や湖畔だったのに対して、アンダーソンはトウモロコシ畑を自分の本拠としていた。いってみれば、彼にとってはトウモロコシ畑こそがネイチャーそのものだった。そこを拠点にして、資本主義や産業主義から何かを護ろうとして闘っていたのかもしれない。物理的には鉄道が開通し、精神的には「ニューイングランド人たちの神々（New Englanders' gods）」が君臨していた時代。生まれた土地から引き離され、内的ネイチャーが抑制される時代に、あえて大地に根を下ろし、その土地に固有の神を見出そうとした。わたしにとってのトウモロコシ畑、固有の神とはいったい何だろうかと考えさせられた。」

　この学生だけでなくて、自分にとってのネイチャーについて

書いてくれた学生が数名いたんです。伊藤さんご自身は、国内外を問わずに多くの移動を繰り返しながらも、そのなかで各地の植物や動物たちと濃密な交流を保ち続けていますよね。ご自身の生き方とネイチャーと創作とで、伊藤さんご自身が意識的にバランスをとろうとされていることはありますか？　仮に無意識ではあっても、事後的に「ああ、こうだったんだな」と気がつかれたことなどはおありですか？

伊藤　本当に若いとき、30歳とか40歳ぐらいまでは、自分がネイチャーだったんですよね（笑）。わたし自身が子どもを産んだり育てたりっていうことをずっとしていたので、あるいは自分の体を使ってセックスしたり。だから、体＝ネイチャーで、ネイチャー＝わたしだったんですよね。そんな感じで生きていたんだけど、アメリカに行って犬を飼い始めたら、外を歩くようになったんです。あと、アメリカに行ってから、夏休みに子どもを連れて日本へ帰ってくるようになったんです。日本っていうのは、まさに熊本。わたし、東京の裏町で育っているから、ネイチャーっていっても残り物みたいなネイチャーですよね。河原ばたの帰化植物とか外来植物ね。昭和30年代ころは自然も少しは残っていたんですけど、みんな汚くて。小学校のときは窓を開けると光化学スモッグが入ってきて、窓を閉じろっていうことになったり、川はものすごく汚かったり。そういうときに生まれ育ったわけでしょう。

　アメリカに行ったのは40歳ぐらいですよね。熊本に来たときは30歳ぐらいだったんだけど、あんまり外には出なかった。本当にネイチャー＝自分っていうことで。それからアメリカに行って、夏に帰ってきたら、この梅雨どきのものすごい湿気と

ものすごい植物の繁茂っていうのを目の当たりにしたんですよね。

　アメリカで犬といっしょに歩いている自然っていうのは、ほとんど砂漠みたいな状態なんですよ。砂漠っていっても、たぶんみんなが思い浮かべるような月の砂漠みたいな、ああいうのではないんです。荒地なんです。セージブラッシュがいっぱい、セージブラッシュってヤマヨモギっていうやつですね。ヤマヨモギがいつも枯れているように見えるんですけど、本当は枯れてないんです。それがもこっもこって、あちこちに生えているような。ヤマヨモギとヤマヨモギのあいだは、ごつごつした岩だらけの土地。木はほとんど生えてなくて、たまにあるかなと思ったらドングリのなるアラカシみたいな、そういうオークなんですね。

　そういうところにずっと住んでいて、死んでしまったような、枯れているような状態なのに、冬にちょっとだけ雨が降るから、春になったらいきなり花が咲くっていう。そんなのをずっと見てきたわけでしょう。乾いている、本当に乾いた土地。それが梅雨どきの日本に帰ってくると、まったく違うネイチャーがあるのを目の当たりにして、そこへ向かい始めたんです。そうしたら、それについて書きたくなる。それからずっと書き続けているっていう感じ。

白岩　植物を見出した、植物を「発見」したというのは、そんなにあとだったんですか。アメリカへ行かれたあとだったんですか？

伊藤　実は子どものときから好きだったんですよ。わたし、自分のことが嫌いだったんですけど、というのは、肥満児だったから。

自分の体から何とかして逃れたくて、いつも夢を見ていたんです。世界が崩壊して、なにかが起こって、それで自分の体がぱかって割れて、そのなかからやせた自分が出てくるとか。世界が崩壊して、親が死んじゃって、ヤマザキくんっていう男の子好きだったから、ヤマザキくんとかほかの何人かが生き残って、そこからいっしょに世界を作るとか。そんなことをずっと想像していたんですよね。

　世界が崩壊するっていう考えが、いつも必ずあったわけ。そのときに、なにを食べたらいいのかっていうことを考え始めて、道ばたの草を夢中になって調べ始めたんです。これは食べられる、これは食べられる、これも食べられる、みたいなことを考えているうちに、外来の植物が多いのに気づいたんですね。外来の植物っていうのが、わたしの子ども時代からずっと頭のどこかにあるような、妄想上の友達みたいなものだったような気がします。

白岩　外来の植物っていうのも、伊藤さんにとっては在来種と同じで、一緒くたのネイチャーとして捉えているわけですよね。なかには、外来種と在来種とを明確に区別して、あれは根絶やしにしろとか、こっちだけ残せとか、そういう思想や動きもありますが。

伊藤　実は、わたしもときどき外来の植物を引っこ抜いたりしているんです。だけど、彼らは枯らしてもまた来るから。人間とか犬とか雀なんかが死ぬのとは、またちょっと違うんです。

　でも、アメリカに行ったら、今度はわたし自身が外来植物みたいに繁茂繁殖しているわけでしょう。何だかなと思って。外来植物が自分みたいな感じもしたし。

158

いまいるこの場所が気に食わない。気に食わないっていうと少し上から目線ですね。いまいるこの場所が生きづらい。いま生きているこの人生、あるいはいまいるこの家庭、いまいるこの街が生きづらくて窒息しそう、そんな感覚を強く抱いていたんですよね。それがあったから、アメリカに行ったような気がする。どこか生きづらくて。あるいは、この日本社会という場所から出ていったような。アンダーソンってまさにそうじゃないですか？

白岩　おっしゃる通りです。ちょうど受講生もそのことを書いていて、伊藤さんにお伝えしたいなと思ったところでした。

> 「アンダーソンは、自分が自分自身でいられる場所にいたいと強く思っていたのではないだろうか。彼の詩を読んでいると、自分のいたいところにいていいんだよ、自分なりの生き方でいいんだよと言われているように感じて、わたし自身が救われるような思いがした。」

　　この学生さんも書いていますが、アンダーソンの小説には、登場人物が最後に逃げる作品が非常に多いんですよね。一般的に「逃げる」と日本語でいうと、どうしてもネガティブな捉え方をされてしまう。けれど、彼らは言葉を換えれば "refugee"（難民／避難者）でもあるわけで。そのままでいたら、自分自身のネイチャーが殺されてしまう、「声」を失ってしまう。それだけの危機に見舞われているから、生き残るために必死で逃げているんですよね。そうなると、決してネガティブになんか捉えられませんよね。むしろ、そういう生き方を肯定しうる価値

観を再構築しなければならない、そう思うんです。

伊藤　英語で"run"って言うでしょう。普通だったら「走る」。だけど、映画なんかだと「逃げろ」っていう字幕がついていることが多いんですよね。そして、実際にそういうシチュエーションで使われることが多いのね。たとえば『フォレスト・ガンプ』（*Forrest Gump*, 1994 年）で"Run, Forrest!"って言うじゃないですか。あんな感じ。生き方もそれでいいんじゃないかって思う。

　　新聞やラジオとかで人生相談やっていると、職場とか学校でいじめられているとか、どうしても人とうまくいかなくて生きづらい、というのがよくあるんです。それならば、"run"って思いますよ。

　　でも、またその生きづらさを、それこそシャーウッド・アンダーソンみたいに、しんねりむっつりと、書き続けるひともいるわけで。『ワインズバーグ、オハイオ』に登場する人物にも、以前の場所からは逃げてきたってひとたちがいるでしょう。嫌なことが起こったところからは。それでも、作品のなかでは傷を抱えてずっと暮らしていますよね。そういうふうに動かない状態っていうのをしんねりむっつり観察して分析して、書いて表現して。そうすることで、無意識の地下水やマグマみたいなところにどんどん下りていった。そして、そこからくみ上げて飲んだら、何だか生きづらさが楽になるような気がする。

白岩　いまのは作品のことを比喩的におっしゃったんですか。集合的無意識という地下水脈に潜む作品。それを飲む、つまり読むということですか？

伊藤　わたしたちは書くという方法もとるけど、たぶん学生さんた

ちは読むことで飲むんでしょう。わたし自身は表現するから、表現すること自体でマグマというか、地下水を飲むような気もしていて。そうすると、無意識みたいなものに気がつけて楽になる。無意識のメタファーがマグマとか地下水というのでいいのかどうかもよくわからないんですけど、そんな感じがするんですよね。

白岩　おそらく、地下水脈みたいなところ、もしくはマグマのような場所でのインプットは多くの人が可能だと思うんですよね。地下水をいっしょに飲む。作品を共有する。問題は、それをどのようにアウトプットしていくか、生き方そのものに結びつけていくかだと思うんです。

　もちろん、アンダーソンの作品を読めば、彼の時代も相当に大変だったことがわかります。それでも、いまの学生たちだって、だいぶ難儀な時代を生きていますよね。就職活動ひとつとっても、あらゆることが過度にシステム化されていますからね。そこにうまく乗らなければ生きていけない、そんな虚妄にぶちあたって絶望に陥る学生さえいます。すべてを囲い込まれて、逃げ場が見出せない状況なんですね。なかには

　　「わたしたちは生きるために仕事をするのであって、仕事のために生きるのではない。だから、このコロナ禍をきっかけにして、人間の在り方自体を問い直さなければならない。」

と自覚的な学生さんもいて、思わず「同志よ！」と手を取りあいたくなるんですが、それさえ手指を消毒しなければ難しい

時代です。

　伊藤さんも早稲田大の文化構想学部で教えていらして、学生さんからさまざまな声が上がってきているんじゃないですか？

伊藤　就活（シューカツ）で何人もそういうことを言ってきますよね。つらい、きついって。けど、わたしにはひとつ弱みがあって、自分自身が就活をしていないんですよ。教員採用試験は受けたけど、臨時採用だったし。1年間やってみて、もうだめだなと思って、辞めて。

　就活自体も、みんなで同じスーツを着て説明会なんかに行くなんてことはなかったんですよね。わたしたちのころは就活スーツみたいなものもなかったし。わたし自身が就活をしていないから何とも言えないところもあるんだけど、それでも、初めからシステムに入らない生活というのもあるんだということを早稲田の学生たちには言っていますね。みんなでまったく同じことなんて、やる必要ないんじゃないかって。

白岩　こういう時代ですから、初めからシステムの外へ出るという別の選択肢（オルタナティヴ）も徐々に増えてきているんですよね。ぼくも身近なところで実感しています。

伊藤　そうなんです。就活を経験した子たちもみんな言っていますね。自分のことがよくわかって、そこから自分らしいところを選んで、自分らしくアピールしたら結構いけるもんだみたいな話も、先輩たちから聞いているんですね。

　いまはコロナの問題も重なって、よけいに就活が難しくなっている。でも、なにが一番きついかといったら、自分を否定されることだと思うんですよ。たとえそれで会社に入ったとして、安泰なのかっていったら決して安泰というわけではないんです。

入ったあとにすぐ辞めちゃう人たちだっていっぱいいるんですよね。

　いったん就職しても疲れちゃって、それでも頑張ろうとして、さらに疲れ果てて、最後にはぼろぼろになって辞めちゃう子を何人も見てきたんですよ。そういう子には「本当に辞めちゃいなよ」って言うんだけど、辞めないで「もうちょっと頑張る、もうちょっと頑張る」って言って。結局は辞めちゃうんだけどね。そういうのを見ていて、もう辞めちまえって思っていたんですよね。実はわたし、頑張る必要なんかないんじゃないかって思っている。いや、そんなことないかな。自分が興味のあることは頑張りますよね。でも、他人のルールですべて縛られちゃったら、ちゃぶ台をひっくり返したくなっちゃう。

白岩　詩人の**平田俊子**さん（1955-）が伊藤さんのことをこう書いているんです。

　　「だいたいこの人には「何々しなければ」という義務感、使命感が欠落していて、「何々したい」という欲望ばかりが過剰である。自分の興味があるものはとことん追究するがそうでないものには見向きもしない。そうやって今日までやってきた人だ。欲望がながい時間をかけて伊藤比呂美をこつこつと築き上げた。ここまで徹底できればそれはそれでなかなか立派なものである。」（平田俊子「伊藤比呂美という土地」『伊藤比呂美詩集』思潮社、1988年、159頁）

　一見、けなしているようでありながら、最高の賛辞ですよね、

実は。ぼくは2020年の４月に高知県立大の文化学部に着任したんですが、ここのところつくづく思うんです。この「何々したい」という思いを育てるのが、真の大学の使命なんだなって。文化学部とか文化構想学部なんて、その牙城のような場ですよね。

　さまざまな思想家や芸術家たちが、能率や生産性とはまったく別の指針で、数十年とか数百年も残るような思想を紡ぎ、作品を創っていく。もちろん、生き様だってそれぞれにむちゃくちゃで。遺された言葉や伝記にふれると、「こんな生き方もあるんだ！」とか、「こんな価値観があるんだ！」って、まったく未知だった別の可能性（アナザー・ポッシビリティ）が見えてくる。「いま・ここ」で支配的な就職の作法だって、通時・共時性を拡張して考えれば、あまたの選択肢（オルタナティヴ）のひとつに過ぎないわけですよね。そうやって、「いま・ここ」を相対化しながら、自らの呼吸をベースにして生きていってほしいです。ポテンシャルあふれる学生たちにふれるたび、そんなことを思います。

伊藤　ひとのルールに呑まれちゃうと、ものすごくつらいんですよね。自分がなくなっちゃうから。自分らしくっていうのが難しいのはわかっています。特に日本の学校だと、自分らしさを消して生きるように教育されるでしょう？　でも、自分らしさこそ大事だと思うな。

白岩　「何々したい」という思いって、つまるところは「声」の源なんですよね。内的ネイチャーと直接つながっている。その唯一無二の自分の「声」が、就職活動でも会社でも、外的世界とどこかで呼応しあっていないと、たとえ就職したとしても、どんどん苦しくなっちゃうんですよね。

伊藤　だんだん重圧がかかって、背中が丸まってきて。そうすると、背中全体も縮んできて、前のめりになって。でも、人間って生きていると、前を向いて立ち上がろうとするじゃないですか。歩き出そうとするじゃないですか。それが人間の尊厳だとしたら、それに従って生きていきたいなって思う。おもしろいものが見つかったら、立ち上がって前を向いて、その方向へ歩き出す。

白岩　それさえさえぎろうとしたり、妨げようとしたりする組織や価値観にはいったん真っ向から対峙して、こちらから距離をとったり、見切りをつけたりするくらいでちょうどいいのではないでしょうか。そして、隣で同じ思いを抱えているひとたちと手を取りあって、別の可能性（アナザー・ポシビリティ）を探っていく。

伊藤　学生と話していると、ものすごく楽しいんですよ。よくこんなこと言えるな、書けるなって感心する。やっぱり、そこを大事にし続けてほしいって思う。このあいだ「短詩型文学論」っていう授業で、**中原中也**（1907-37）を読んでいたんですけど、さっきの集合的無意識についておもしろいことを書いてくれた学生がいて。ちょっと読みますね。

「僕は詩をほとんど読まないのだけど、人生で読んだもっとも詩に近いのは高橋源一郎の『さようなら、ギャングたち』だ。その高橋源一郎が中原中也を読んでいた。中原中也は中国にいて、ランボーを読んでいた。ジェフリーさんも中原中也を読んでいて、伊藤さんも中原さんも中原中也を読んでいた。僕も中原中也を読んでいる。中原中也も伊藤さんを、高橋さんを、僕を読んでいるに違いない。」

ジェフリーというのは、その前にゲストで出てくれた翻訳者の**ジェフリー・アングルス**（Jeffrey Angles, 1971-）のことで、最後の中原さんというのは中原中也記念館の館長のことなんです。わたし、ものすごくおもしろいなって思って（笑）。

　最後に「中原中也も伊藤さんを、高橋さんを、そして僕を読んでいるに違いない」って書くんですよ。中也が読むかよ！ そんなふうにも思ったんだけど、それでもこの転換があまりに大胆で。よく言った！　って感じたんですよね。わたしにはとても考えつかない。でも、こういうのをぽんっと書いてくる学生がいるんです。すごくおもしろい。

白岩　すでに詩になっていますね。飛躍にポエジーがあります。授業の枠を超えているな。というか、伊藤さんの授業自体が、ご自身の生き様も含めて、背中を押しているんでしょうね。枠なんかじゃんじゃん超えていきなさいって。

伊藤　ぱんっぱんってどこかに行っているじゃないですか。そこは本当におもしろいな。

白岩　その伸び伸びしたネイチャーを思いつき程度のシステムで押し殺すことだけは避けたいですよね。むしろ、活き活きした文化（カルチャー）でふかふかに耕作（カルティヴェイト）して、発酵が進んで湯気が立ってくるような状態にまで、お互いの内面を賦活させていけたらと思います。

　そのためにも、別の可能性（アナザー・ポシビリティ）としての多くの「声」にふれるというのは、人類がわずかなりとも深化していくことにとって欠かせませんよね。それで初めて、真の多様性や共生の実現可能性が芽生えてくる。ぼくは伊藤さんの作品に、そして伊藤さんご自身にふれるたび、ずっとそのことを感じ続けてきました。

これからも、是非にエキサイティングな表現を、そして生き様を我々に見せてください。

伊藤 疲れるんですけどね（笑）。最後に、アメリカ文学の一番おもしろいところを朗読しません？　自分の文学っていうアメリカ文学（と言って、さきほど掲げた、金関寿夫『魔法としての言葉——アメリカ・インディアンの口承詩』思潮社、1988年を手にとる）。

白岩 ありがとうございます。是非にお願いします。

伊藤 タイトルは「敵の心をなごますための呪文（"Magic Formula to Make an Enemy Peaceful"）」。ナバホ族（Navaho）ですね、これは。（原文は、Frederick Turner ed., *The Portable North American Indian Reader*, Penguin Books, 1977）。

> 「おまえの足を花粉のなかへ突っこみなさい
> おまえの手を花粉のなかへ突っこみなさい
> おまえの頭を　花粉のなかへ突っこみなさい
> するとおまえの足は　花粉になる＊
> するとおまえの手は　花粉になる
> するとおまえのからだは　花粉になる
> するとおまえの心は　花粉になる
> するとおまえの声は　花粉になる
> 行手には　美しい道がある
> しずかに！」　　　　　　　　　　　　　　　　　　　（p.66.）

Put your feet down with pollen.
Put your hands down with pollen.

Put your head down with pollen.

Then your feet are pollen;

Your hands are pollen;

Your body is pollen;

Your mind is pollen;

Your voice is pollen.

The trail is beautiful.

Be still.   （p.240.）

＊原文に訳抜けがあったため、引用者が加筆。

白岩　ウクライナの戦禍のただなかで聴くと、臓腑にしみわたりま
す。他者の尊厳を蹂躙し、人類が連綿と築き続けてきた倫理
を踏みにじるプーチンはいうまでもありませんが、国内外の
危機的な分断をあるがままに放置し続けるリーダーたちにも
聴かせてやりたい。お互いに花粉まみれになりながら。シャー
ウッド・アンダーソンから伊藤さんを介してアメリカ・イン
ディアンの詩へ遡行できたことを、そして伊藤さんご自身と同
時代を生きられたことを心の底からうれしく思います。本日は
本当にありがとうございました。

伊藤　どうもありがとうございました。

推薦文献

伊藤比呂美『道行きや』（新潮社、2022 年）

(1) 「移民大国」アメリカにとって、移民政策はつねに国家の最重要事項であり続けてきました。「他者」の受容や排除、レイシズムの観点から、移民法の変遷を調べてみましょう。

(2) 日本の難民認定数は他国と比較すると著しく少なく、入国管理の面においても、国連や国際社会から批判が繰り返されています。はたして、日本政府は真に救済を必要とする難民と向きあってきたのでしょうか。日本は、そして我々はなにができるでしょうか。他国の状況を参考にして、考えてみましょう。

HANDS

Upon the half decayed veranda of a small frame house that stood near the edge of a ravine near the town of Winesburg, Ohio, a fat little old man walked nervously up and down. Across a long field that had been seeded for clover but that had produced only a dense crop of yellow mustard weeds, he could see the public highway along which went a wagon filled with berry pickers returning from the fields. The berry pickers, youths and maidens, laughed and shouted boisterously. A boy clad in a blue shirt leaped from the wagon and attempted to drag after him one of the maidens, who screamed and protested shrilly. The feet of the boy in the road kicked up a cloud of dust that floated across the face of the departing sun. Over the long field came a thin girlish voice. "Oh, you Wing Biddlebaum, comb your hair, it's falling into your eyes," commanded the voice to the man, who was bald and whose nervous little hands fiddled about the bare white forehead as though arranging a mass of tangled locks.

Wing Biddlebaum, forever frightened and beset by a ghostly band of doubts, did not think of himself as in any way a part of the

「手」　　シャーウッド・アンダーソン

　ずんぐりむっくりした老人が、朽ちかけたベランダを落ち着かない様子で行ったり来たりしている。その小さな木造家屋は、オハイオ州ワインズバーグの町にほど近い、渓谷の末端に建っていた。向かいの細長い畑には飼料用のクローバーの種が蒔かれていたのだが、黄色いノハラガラシが我が物顔で生い茂っている。畑の向こうには幹線道路が見える。イチゴ摘みを終えたひとたちでいっぱいの荷馬車が、ちょうど畑から帰ってくるところだ。若い男女が大きな笑い声をあげて、なにか叫んでいる。すると、青いシャツを着た青年が荷馬車から飛びおりて、女のひとりを引きずりおろそうとした。が、女は金切り声で叫びながら抵抗している。青年が道路の土ぼこりを蹴りあげると、西日がかすんだ。細長い畑の向こうから、少女のようなかぼそい声が聞こえてくる。「ねえねえ、ウィング・ビドルボウムさん、髪をとかさないと目に入っちゃうよ」。見下すような口調。男にはもう髪などない。それでも、小さな手をふるわせながら、白い額をなでまわす。まるで、もつれた髪を整えるかのように。

　一連の疑念に幽霊のようにまといつかれ、ウィング・ビドルボウムはずっとおびえ続けていた。20年も住んでいるにもかかわらず、自

life of the town where he had lived for twenty years. Among all the people of Winesburg but one had come close to him. With George Willard, son of Tom Willard, the proprietor of the New Willard House, he had formed something like a friendship. George Willard was the reporter on the *Winesburg Eagle* and sometimes in the evenings he walked out along the highway to Wing Biddlebaum's house. Now as the old man walked up and down on the veranda, his hands moving nervously about, he was hoping that George Willard would come and spend the evening with him. After the wagon containing the berry pickers had passed, he went across the field through the tall mustard weeds and climbing a rail fence peered anxiously along the road to the town. For a moment he stood thus, rubbing his hands together and looking up and down the road, and then, fear overcoming him, ran back to walk again upon the porch on his own house.

In the presence of George Willard, Wing Biddlebaum, who for twenty years had been the town mystery, lost something of his timidity, and his shadowy personality, submerged in a sea of doubts, came forth to look at the world. With the young reporter at his side, he ventured in the light of day into Main Street or strode up and down on the rickety front porch of his own house, talking excitedly. The voice that had been low and trembling became shrill and loud. The bent figure straightened. With a kind of wriggle, like a fish returned to the brook by the fisherman, Biddlebaum the silent began to talk, striving to put into words the ideas that had been accumulated by his mind during long years of

分が町の生活の一部だとはとても思えない。ワインズバーグの住人の
うち、ひとりだけ彼に近づいてきた人物。それがジョージ・ウィラー
ドだった。ニュー・ウィラード・ハウスのオーナー、トム・ウィラー
ドの息子だ。彼とは友情のようなものを築いていた。ジョージ・ウィ
ラードはワインズバーグ・イーグル紙の記者で、日が暮れると、幹線
道路を歩いてウィング・ビドルボウムの家へ立ち寄ることがあった。
老人はふるえる両手をあちこち動かしながら、ベランダを行ったり来
たりしている。ジョージ・ウィラードが来て、夕刻のひとときをいっ
しょに過ごせたらいいのだが。イチゴ摘みを乗せた荷馬車が通り過ぎ
ると、彼は伸び放題のノハラガラシが生い茂る畑を突っ切って、レー
ルフェンスをよじ登り、道の先にある町のほうを不安そうに見つめて
いた。そして、両手をこすり合わせながら道のほうを眺めたり、足下
へ視線を移したりした。しばらくのあいだ、そうしてたたずんでいた
が、そのうち恐怖心に呑まれて自宅へ駆け戻ると、ふたたびポーチを
行ったり来たりするのだった。

　20年ものあいだ、ウィング・ビドルボウムは、町のひとたちの
目に得体のしれない人物として映っていた。けれど、ジョージ・
ウィラードのまえでは少し警戒心が消え、疑念の海に沈んでいた影
のような人格が、世界を眺めようと水面へ顔を出す。若い記者と
いっしょにいると、まだ日のあるうちに大通りへ出ることもできる
し、自宅のガタつく玄関ポーチを行き来しながら、興奮気味に話を
することもできる。ふるえていた低い声が耳ざわりなほどに大きく
なり、前かがみの体がしゃきりと伸びる。普段はなにもしゃべらな
いビドルボウムが、漁師によって川に戻された魚のように身をくね
らせて、勢いよく話しだすのだ。彼には沈黙してきた長年のあいだ
心に溜めてきた思いがあり、それを言葉にしようと試みるのだっ

silence.

Wing Biddlebaum talked much with his hands. The slender expressive fingers, forever active, forever striving to conceal themselves in his pockets or behind his back, came forth and became the piston rods of his machinery of expression.

The story of Wing Biddlebaum is a story of hands. Their restless activity, like unto the beating of the wings of an imprisoned bird, had given him his name. Some obscure poet of the town had thought of it. The hands alarmed their owner. He wanted to keep them hidden away and looked with amazement at the quiet inexpressive hands of other men who worked beside him in the fields, or passed, driving sleepy teams on country roads.

When he talked to George Willard, Wing Biddlebaum closed his fists and beat with them upon a table or on the walls of his house. The action made him more comfortable. If the desire to talk came to him when the two were walking in the fields, he sought out a stump or the top board of a fence and with his hands pounding busily talked with renewed ease.

The story of Wing Biddlebaum's hands is worth a book in itself. Sympathetically set forth it would tap many strange, beautiful qualities in obscure men. It is a job for a poet. In Winesburg the hands had attracted attention merely because of their activity. With them Wing Biddlebaum had picked as high as a hundred and forty quarts of strawberries in a day. They became his distinguishing feature, the source of his fame. Also they made more grotesque an

た。

　ウィング・ビドルボウムの両手は多くを物語る。細い指は表現力に
あふれ、たえず動いている。そして、いつもポケットや背中に隠れよ
うとするのだけれど、決まって表に出てきては、彼の言いたいことを
代弁する機械のピストン棒になった。

　ウィング・ビドルボウムの物語は、手の物語だ。せわしなく動く彼
の両手と、かごのなかで羽をばたつかせる鳥。それらが似ていること
から、ウィングという名がつけられた。町に住む名もなき詩人による
命名だ。彼自身は自分の両手を不安に感じ、誰にも見えないところに
隠しておきたいと思っていた。ほかの人々を見るにつけ、彼らの手が
落ち着き払って、勝手になにかを表現しだすことがないのに驚かされ
る。いっしょに畑仕事をするひとたちの手、田舎道で眠そうな馬を御
すひとたちの手。

　ジョージ・ウィラードと話をするときには、ウィング・ビドルボ
ウムはこぶしを握りしめて、テーブルや家の壁をたたく。そうすると、
心が落ち着く。ふたりで野原を歩いているときに無性に話したくなっ
たら、あたりを見回して切り株やフェンスの天板を探す。そして、そ
れらをせわしげにたたきながら話しだすと、またひと心地つくのだっ
た。

　ウィング・ビドルボウムの手の物語は、それだけで一冊の本になる。
共感力ゆたかな人間が語るなら、名もなき人々に秘められた、たくさ
んの奇妙な美質が描き出されることだろう。それが出来るなら、もは
や詩人の域だ。ワインズバーグで彼の両手が注目されていたのは、ひ
とえにその動きによる。ウィング・ビドルボウムは一日に140クォー
トものイチゴを摘んだことがあった。その両手が彼の際立った特徴と
なり、名声の源となっただけでなく、以前からグロテスクで捉えどこ

already grotesque and elusive individuality. Winesburg was proud of the hands of Wing Biddlebaum in the same spirit in which it was proud of Banker White's new stone house and Wesley Moyer's bay stallion, Tony Tip, that had won the two-fifteen trot at the fall races in Cleveland.

As for George Willard, he had many times wanted to ask about the hands. At times an almost overwhelming curiosity had taken hold of him. He felt that there must be a reason for their strange activity and their inclination to keep hidden away and only a growing respect for Wing Biddlebaum kept him from blurting out the questions that were often in his mind.

Once he had been on the point of asking. The two were walking in the fields on a summer afternoon and had stopped to sit upon a grassy bank. All afternoon Wing Biddlebaum had talked as one inspired. By a fence he had stopped and beating like a giant woodpecker upon the top board had shouted at George Willard, condemning his tendency to be too much influenced by the people about him, "You are destroying yourself," he cried. "You have the inclination to be alone and to dream and you are afraid of dreams. You want to be like others in town here. You hear them talk and you try to imitate them."

On the grassy bank Wing Biddlebaum had tried again to drive his point home. His voice became soft and reminiscent, and with a sigh of contentment he launched into a long rambling talk, speaking as one lost in a dream.

Out of the dream Wing Biddlebaum made a picture for George

ろのなかった人物像を、よりグロテスクなものへと変えていた。ワイ
ンズバーグの人々はウィング・ビドルボウムの手を誇りに感じていた。
ちょうど、銀行家ホワイト氏の石造りの新居や、ウェズリー・モイ
ヤーの鹿毛の牡馬トニー・チップを誇りに思うのと同じ気持ちだ。ト
ニー・チップはクリーブランドで秋に開催された2分15秒のレースで
優勝した。

　やはりジョージ・ウィラードも、手のことを訊いてみたいと幾度
となく思っていた。抗いがたい好奇心に駆られたこともある。あの奇
妙な動きや、やたらと両手を隠したがるのにはなにか理由があるにち
がいない。頭から消えることのない疑問を口に出さずにすんだのは、
ウィング・ビドルボウムへの敬意が日に日に募っていたからだ。

　それでも、一度だけ訊こうとしたことがある。ある夏の午後にふたり
で野原を歩き、草が生い茂る土手に腰を下ろしたときのことだった。そ
の日、ウィング・ビドルボウムはなにかに突き動かされたかのように、
ずっとしゃべり続けていた。そして、ふと立ち止まると、巨大なキツツ
キのようにフェンスの天板をたたきながら、ジョージ・ウィラードに向
かって声をあげた。きみは周囲の人間からあまりに影響を受け過ぎてい
る。「自分自身を損なっているんだ」そう叫ぶのだった。「きみはひとり
になって、夢想したいと思っている。と同時に、夢を見るのをこわがっ
てもいる。だから、この町の人間たちと同じようになりたいと思って、
彼らの話に耳を傾けるわけだ。そして、彼らの真似をしようとしている」。

　草が茂った土手で、ウィング・ビドルボウムは自分が言いたいこと
をうまく伝えようとふたたび試みる。なにかを回想するような、やわ
らかい声。満足げなため息。あたかも夢の中へ迷い込んだかのような、
とめどない話が始まった。

　ウィング・ビドルボウムは、ジョージ・ウィラードのために、その

Willard. In the picture men lived again in a kind of pastoral golden age. Across a green open country came clean-limbed young men, some afoot, some mounted upon horses. In crowds the young men came to gather about the feet of an old man who sat beneath a tree in a tiny garden and who talked to them.

Wing Biddlebaum became wholly inspired. For once he forgot the hands. Slowly they stole forth and lay upon George Willard's shoulders. Something new and bold came into the voice that talked. "You must try to forget all you have learned," said the old man. "You must begin to dream. From this time on you must shut your ears to the roaring of the voices."

Pausing in his speech, Wing Biddlebaum looked long and earnestly at George Willard. His eyes glowed. Again he raised the hands to caress the boy and then a look of horror swept over his face.

With a convulsive movement of his body, Wing Biddlebaum sprang to his feet and thrust his hands deep into his trousers pockets. Tears came to his eyes. "I must be getting along home. I can talk no more with you," he said nervously.

Without looking back, the old man had hurried down the hillside and across a meadow, leaving George Willard perplexed and frightened upon the grassy slope. With a shiver of dread the boy arose and went along the road toward town. "I'll not ask him about his hands," he thought, touched by the memory of the terror he had seen in the man's eyes. "There's something wrong, but I don't want to know what it is. His hands have something to do

夢から一幅の絵画を仕立ててみせた。かつての牧歌的な黄金時代にふたたび暮らす人々。手足がすらりと伸びた若者たちが緑の平原へ集まってくる。ある者は歩いて、ある者は馬に乗って。彼らが向かう先は、ひとりの老人の足下だ。彼は小さな庭園の樹下に腰かけて、若者たちに語りかける。

　ウィング・ビドルボウムはなにかに激しく突き動かされていた。このときばかりは手のことを忘れていた。すると、両手がゆっくり忍び出し、ジョージ・ウィラードの両肩に載った。どこか新しくて大胆な響きが、語りかける声に宿っていた。「これまで学んできたことをすべて忘れる努力をしなさい」、老人はそう言うのだった。「きみは夢想しなくてはならない。これからは、ほんのわずかでも周囲の騒音に耳を貸してはいけない」。

　そこで話を中断すると、ウィング・ビドルボウムは真剣な面持ちで、しばらくのあいだジョージ・ウィラードをじっと見つめていた。ビドルボウムの目は輝いている。そして、ふたたび両手をあげて青年を撫でようとしたとき、彼の顔からさっと血の気が引いていった。

　びくっと全身をふるわせながら立ち上がると、ウィング・ビドルボウムはズボンのポケットに両手を深く突っ込んだ。目には涙が浮かんでいる。「そろそろ家に帰らないと。もうこれ以上、きみと話しているわけにはいかない」、おどおどした様子でそう話すのだった。

　老人は一度も振り返ることなく斜面を駆け下りると、牧草地を歩いていった。斜面の草むらに置いていかれたジョージ・ウィラードはなにがなんだかわからずに、おびえていた。そして、恐怖で身をふるわせながら立ち上がると、そのまま町へ向かって道を歩いていった。「手のことは彼に訊いちゃいけないな」彼はそう思った。男の目に現れた恐怖を思い出して、衝撃を受けていた。「なにか事情があるのかもしれない。でも、それが何か知りたくない。彼がぼくやみんなのこ

with his fear of me and of everyone."

And George Willard was right. Let us look briefly into the story of the hands. Perhaps our talking of them will arouse the poet who will tell the hidden wonder story of the influence for which the hands were but fluttering pennants of promise.

In his youth Wing Biddlebaum had been a school teacher in a town in Pennsylvania. He was not then known as Wing Biddlebaum, but went by the less euphonic name of Adolph Myers. As Adolph Myers he was much loved by the boys of his school.

Adolph Myers was meant by nature to be a teacher of youth. He was one of those rare, little-understood men who rule by a power so gentle that it passes as a lovable weakness. In their feeling for the boys under their charge such men are not unlike the finer sort of women in their love of men.

And yet that is but crudely stated. It needs the poet there. With the boys of his school, Adolph Myers had walked in the evening or had sat talking until dusk upon the schoolhouse steps lost in a kind of dream. Here and there went his hands, caressing the shoulders of the boys, playing about the tousled heads. As he talked his voice became soft and musical. There was a caress in that also. In a way the voice and the hands, the stroking of the shoulders and the touching of the hair were a part of the schoolmaster's effort to carry a dream into the young minds. By the caress that was in his fingers he expressed himself. He was one of those men in whom the force that creates life is diffused, not centralized. Under the caress of his

とを恐れているのは、あの手に何か関係があるんだろう」。

　はたして、ジョージ・ウィラードは正しかった。その手の物語をざっと見ていくことにしよう。手について語るうちに詩人が目を覚まし、そこに隠された不思議な物語を明かしてくれるかもしれない。それは感化にまつわる話だ。彼の両手はその力を約束する、ひらめく旗に過ぎない。

　若いころ、ウィング・ビドルボウムはペンシルベニア州の町で学校の教師を務めていた。当時はまだウィング・ビドルボウムとしては知られておらず、アドルフ・マイヤーズというあまり響きのよくない名前で通っていた。アドルフ・マイヤーズとしての彼は、男子児童たちからとても慕われていた。

　アドルフ・マイヤーズは、若者の教師になるべく生まれついた男だった。彼のような人間などほとんどいないし、理解されることもめったにない。力で指導しようとしても、あまりにやさしいので、それが愛すべき弱さとして受け取られてしまう。このような男たちが、担当の少年たちに抱く感情は、繊細な女性が男性を愛する思いに似ていないこともない。

　けれど、それは未熟な表現に過ぎない。やはり詩人が必要なのだ。アドルフ・マイヤーズは少年たちと夕方に散歩したり、校舎の階段に腰かけて、暗くなるまで話し込んだりした。夢の世界をさまよう心地だった。両手が自由に動きまわって少年たちの肩を撫でさすり、もつれた髪をもてあそぶ。話すときの声もやわらかく、音楽のように響く。やさしく撫でるような感じが声にも宿っていた。考えようによっては、その声や手も、少年たちの肩を撫でたり髪にふれたりすることも、若者の心へ夢を吹き込もうとする教師としての取り組みの一部だった。指に込められた愛撫によって、彼は自分自身を表現していたのだ。生命を創造する力がどこかに集中しているのではなくて、拡散している。彼はそんな人間だった。彼の手で撫でられると、少年たちの心か

hands doubt and disbelief went out of the minds of the boys and they began also to dream.

And then the tragedy. A half-witted boy of the school became enamored of the young master. In his bed at night he imagined unspeakable things and in the morning went forth to tell his dreams as facts. Strange, hideous accusations fell from his loose-hung lips. Through the Pennsylvania town went a shiver. Hidden, shadowy doubts that had been in men's minds concerning Adolph Myers were galvanized into beliefs.

The tragedy did not linger. Trembling lads were jerked out of bed and questioned. "He put his arms about me," said one. "His fingers were always playing in my hair," said another.

One afternoon a man of the town, Henry Bradford, who kept a saloon, came to the schoolhouse door. Calling Adolph Myers into the school yard he began to beat him with his fists. As his hard knuckles beat down into the frightened face of the schoolmaster, his wrath became more and more terrible. Screaming with dismay, the children ran here and there like disturbed insects. "I'll teach you to put your hands on my boy, you beast," roared the saloon keeper, who, tired of beating the master, had begun to kick him about the yard.

Adolph Myers was driven from the Pennsylvania town in the night. With lanterns in their hands a dozen men came to the door of the house where he lived alone and commanded that he dress and come forth. It was raining and one of the men had a rope in his hands. They had intended to hang the schoolmaster, but

らは疑念や不信がいつのまにか消え、彼ら自身も夢想しだすのだった。

　そこに、悲劇が起こった。ぼんやりした児童が、この若き教師にすっかり心を奪われていた。そして、言葉にしてはいけないようなことを夜中のベッドで想像し、翌朝、その夢を事実として話したのだ。しまりのない彼の口から、奇妙で忌まわしい告発がこぼれ落ちると、ペンシルベニアの町は戦慄につつまれた。人々の心に影のように潜んでいたアドルフ・マイヤーズへの疑念が、この出来事をきっかけに確信へ変わったのだ。

　悲劇はそれだけにとどまらない。親たちは息子をベッドから引きずり出すと、ふるえる彼らを尋問した。すると、ある少年は「先生は両腕でぼくを抱いたよ」と言い、別の少年は「先生はいつもぼくの髪を指でいじくるんだ」と言った。

　ある日の午後、町で酒場を営むヘンリー・ブラッドフォードが校舎の入り口へやってきた。そして、アドルフ・マイヤーズを校庭へ呼び出すと、拳で殴り始めた。教師のおびえた顔に硬く握りしめた拳を振り下ろすたび、彼の怒りはますます激しくなっていった。あわてふためいた子どもたちは悲鳴を上げ、急襲された虫けらのようにあちこちへ四散した。「目にもの見せてやる。おれの息子に手を出しやがって、このけだものめ」酒場の主人はそう怒鳴り、やがて殴るのにくたびれると、今度は校庭を目いっぱい使って教師を追いかけまわしながら、彼を蹴とばしていた。

　アドルフ・マイヤーズはその日の夜にペンシルベニアの町から追い出された。ランタンを手にした十数人の男たちが、ひとり暮らしをしていた彼の元にやってきて、服を着て外へ出てくるよう迫ったのだ。外は雨が降っていて、男のひとりは手にロープを持っている。彼らは教師を縛り首にするつもりだった。しかし、彼があまりにも小さくて

something in his figure, so small, white, and pitiful, touched their hearts and they let him escape. As he ran away into the darkness they repented of their weakness and ran after him, swearing and throwing sticks and great balls of soft mud at the figure that screamed and ran faster and faster into the darkness.

For twenty years Adolph Myers had lived alone in Winesburg. He was but forty but looked sixty-five. The name of Biddlebaum he got from a box of goods seen at a freight station as he hurried through an eastern Ohio town. He had an aunt in Winesburg, a black-toothed old woman who raised chickens, and with her he lived until she died. He had been ill for a year after the experience in Pennsylvania, and after his recovery worked as a day laborer in the fields, going timidly about and striving to conceal his hands. Although he did not understand what had happened he felt that the hands must be to blame. Again and again the fathers of the boys had talked of the hands. "Keep your hands to yourself," the saloon keeper had roared, dancing, with fury in the schoolhouse yard.

Upon the veranda of his house by the ravine, Wing Biddlebaum continued to walk up and down until the sun had disappeared and the road beyond the field was lost in the grey shadows. Going into his house he cut slices of bread and spread honey upon them. When the rumble of the evening train that took away the express cars loaded with the day's harvest of berries had passed and restored the silence of the summer night, he went again to walk upon the veranda. In the darkness he could not see the hands and they became quiet. Although he still hungered for the presence of the

青白く、哀れな姿をしているので、決心が揺らぎ、逃がしてやることにした。しかし、いざ彼が暗闇へ走り去ると、自分たちの弱さに対する後悔の念が生じて、追いかけ始めるのだった。罵声を浴びせながら、棒きれや大きくてやわらかい泥玉を投げつける。彼は悲鳴を上げながら、まっしぐらに暗闇へ駆けていった。

アドルフ・マイヤーズがワインズバーグにひとりで暮らすようになってから、20年が経っていた。齢はまだ40だけれど、見た目には65に達している。ビドルボウムという名前は、オハイオ州東部の町を急いで通過しているとき、貨物駅で見かけた商品の箱からとった。ワインズバーグには叔母がいた。歯が黒くて、鶏を飼っていた。彼は彼女が亡くなるまで一つ屋根の下で暮らした。ペンシルベニアの件があってからは1年ほどすぐれず、よくなってからは日雇いの畑仕事についた。おそるおそる外を歩き、懸命に両手を隠そうとする。あのときなにが起こったのか。それはいまも理解できないけれど、手のせいに違いないとは感じていた。少年たちの父親は何度も何度も手のことを話していた。「その手を引っこめておけ」酒場の主人はそう怒鳴っていた。怒りのあまり、校庭で躍るように身をよじらせながら。

ウィング・ビドルボウムは、渓谷沿いにある自宅のベランダで長いこと行ったり来たりしていた。やがて日が暮れ、畑の向こうの道が灰色の影に隠れると、家へ入ってパンを切り、蜂蜜をぬった。そのとき、急行を連結した夜行列車が、収穫したばかりのイチゴを載せて、ガタンゴトンと通り過ぎていった。夏の夜に静寂が戻ると、彼はふたたびベランダへ出て歩き始めた。両手は暗くて見えないが、静穏を保っている。彼にとって青年は、人間に対する愛を表現するための媒体だった。いまからでも彼が来てくれたらいいのだが。だが、そう願うことで彼はいっそう孤独になり、待つことが重なっていった。ウィング・

boy, who was the medium through which he expressed his love of man, the hunger became again a part of his loneliness and his waiting. Lighting a lamp, Wing Biddlebaum washed the few dishes soiled by his simple meal and, setting up a folding cot by the screen door that led to the porch, prepared to undress for the night. A few stray white bread crumbs lay on the cleanly washed floor by the table; putting the lamp upon a low stool he began to pick up the crumbs, carrying them to his mouth one by one with unbelievable rapidity. In the dense blotch of light beneath the table, the kneeling figure looked like a priest engaged in some service of his church. The nervous expressive fingers, flashing in and out of the light, might well have been mistaken for the fingers of the devotee going swiftly through decade after decade of his rosary.

テキスト

Sherwood Anderson, *Winesburg, Ohio*, B. W. Huebsch, 1919.

ビドルボウムはランプを灯すと、質素な食事で汚れた皿を何枚か洗った。そして、ポーチへ通じる網戸のそばに折りたたみ式の簡易ベッドをセットすると、服を脱ごうとした。テーブル周辺の床はきれいに掃除されていたが、いくつか白いパンくずが落ちている。彼は低いスツールへランプを置くと、パンくずを拾い始め、信じがたいほどの速さでひとつずつ口へ運んだ。テーブルの下には、光が濃厚なしみのように集まっている箇所があった。そこにひざまずく姿は、まるで教会で礼拝をささげる聖職者のようだった。表現力にあふれた指はふるえ、光を浴びるたびに輝いては、暗闇へ消えていく。その様子は、数珠を次から次へとすばやく繰る敬虔な信者の指と見まごうほどだった。

参考訳

(1) 『ワインズバーグ・オハイオ』小島信夫・浜本武雄訳（講談社、1997年）
(2) 『ワインズバーグ、オハイオ』上岡伸雄訳（新潮社、2018年）

あとがき

　2020 年は人類史に深く刻まれる年となった。COVID-19 の感染
拡大による多方面へのダメージはいうまでもない。のみならず、私
憤と公憤とが複雑に絡みあい、世界のそこかしこで対話不可能な断
絶が生じた。2021 年の 1 月には、ポスト・トゥルースを象徴する
トランプ前大統領によってアメリカ連邦議会議事堂への襲撃が煽動
され、死者が出る騒乱にまで悪化した。

　それに加え、2022 年の 2 月にはロシアのプーチン大統領が隣国
のウクライナに対して大規模な武力の侵攻を開始。国連安全保障理
事会の常任理事国が一切の法を黙殺し、フェイクニュースで自国民
を瞞着しながら他国市民へ攻撃を加えるという蛮行は、国連をも含
む現行の制度下ではまったく想定されていなかった事態である。

　もちろん、ディスコミュニケーション自体が可視化されるのは決
して悪いことではない。我々の社会が多くの矛盾を内包する有機的
な声で構成される以上、この世界から誤解や齟齬が消えることなど
ありえないのだから。問題となるのはディスコミュニケーションに
直面したとき、傾聴と対話という極めて手間と時間のかかる面倒な
手段を選び取れるか否かである。ひとつひとつの声に耳をすませな
がら、可視化された交差性（インターセクショナリティ）のもつれを
丁寧に解きほぐす……そのように地道で地味な営みを重ねることで、
我々人類は高次の共生と親和に向かって、状況を牛歩のごとく修正
し続けてきた。パンデミックのただなかで世界を大きく揺り動かし

た「ブラック・ライヴズ・マター（Black Lives Matter）」や「#Me Too運動」は、その契機となる重要なムーヴメントである。

　大局的な見地から考えたとき、虐げてきた人間よりも、虐げられてきた人々の声が深く、遠くまで響くのは歴史の必然である。そして、痛苦から発せられる声に耳をすませるのは、倫理と美学が交差する地平を生きる人間に課せられた、数少ない義務でもあろう。

　誤解を恐れずにいえば、喜悦の声に耳を閉ざしたとしても、類的存在としての人類に何ら害はない。しかし、痛苦の声から耳を背けることは、虐げられてきた人々をさらに鞭打ち、死者をふたたび殺めるに等しい。そのとき、人間は倫理的な存在であることをやめ、美への憧憬をいっさい消失する。人類が生物としてだけではなく、倫理的にも審美的にも本当の終わりを迎えるのは、そのようにして自ら破滅を招くときである。その文脈でいえば、トランプとプーチンに看取できるのは、他者の声に耳を閉ざした人間の末路の姿といえるだろう。同じ過ちを繰り返さぬために、我々は最後の最後まで、彼らがいかなる虚妄を捏造し、いかにして出口なき霧中へ他者を誘引するのかを凝視し続けねばならない。

　時代は変われど、悪名高い独裁者に伍そうとする為政者はつねに身近に存在する。しかし、ソローが語るように、「わたしたちはまず人間であって然るべきで、国民であるのは二の次」である。その真理にのっとって、我々はひとりひとりのネイチャーをもっとも大

事にする社会を自らの手で築き直す必要があろう。本書に幾重にも織り交ぜられた無数の声は、為政者のみならず、我々の内側にも潜在する虚妄を打破し、濃霧を晴らす光源となるはずである。

本書の土台になったのは、2020年から現在まで担当し続けている高知県立大学文化学部での講義「米文化・文学論」や2021年5月に日本キリスト教文学会にご招待いただいたシンポジウム「文学の言葉 聖書の言葉」、2022年に放送大学で行った面接授業「文学にみるアメリカ思想」である。

私事で恐縮だが、わたしにとっても2020年は激動の年であった。所属大学の移籍や転居、そして世界中の教員が同時に経験することになったオール・オンライン授業。とりわけ後者に関しては、昼も夜も、平日も休日も関係なく、夢遊病者さながらに講義資料を作成してはオンライン・システムにアップロードし、受講生からの質問や問い合わせに応える日々。文字通りに右往左往しながらの見切り発車だった。それでも、「米文化・文学論」の準備や講義にはえもいわれぬ熱が入った。

おそらく、アメリカの声に耳をすませているうちに、その声自体に「感染」していたのだろう。国家体制や学問・文化、さまざまな水準でアメリカを底上げすると同時に、国家としての精神的支柱をかたち作った多様な声を聴くうち、身体の底から生命がみなぎってくる感じを覚えていた。

授業では、毎回の講義をわたし自身からの「コール（call）」と見立て、それに対する「レスポンス（response）」の提出を受講生への課題とした。オンライン講義ののち、その内容に関して毎回ミニレポートを書いてもらうわけである。テーマは各受講生の選択に委ね

たが、ひとつだけ条件を課した。それは、レスポンスの執筆にあたって「自己を棚上げにしない」ということ（元々は、哲学者の森岡正博氏の言葉である）。

　人文学（humanities）の営みには、理論と実践の場との絶えざる往還が欠かせない。あまた存在する人間性（humanity）を内に取り込むことで自らを多声化し、世界の様相をいたずらに単純化せず、交差性に満ちた世界そのものへ多声的な応答〈レスポンス〉を試みる。あらゆる人文学はそのような着地点を見出されて、初めて存在意義が生じる。我々はひとりひとりが別々の身体と精神を有する生身の人間であるからこそ、その地平は個々の生き様によって切り拓かれねばならない。パンデミックのただなかで初めて出逢う学生たちとも、その往還からあらゆる問題を問い直したいと考えていた。本書はそのようにして続けられた声の交換／交感から生み出された副次的な果実である。

　思想家や文人たちの選択や系譜の追究に際しては、古典〈クラシックス〉を批判的に採用しつつ、社会的に虐げられ、痛苦にあえいでいた人々（先住民、黒人奴隷、女性、性的マイノリティ、障害者……）のうめきが通低する作品を重視した。そして作品のみならず、各人の生き様自体から滲み出るエピソードによって、ひとりひとりの声を立体化しようと試みた。テキストはあくまで平面上のものに過ぎないが、良質の声は空間に鳴りひびく。彼らの声から肉体が立ち上がり、それによって時空を超えた生身の出逢いが実現する。言葉はそのようにして息づき、新たな思想として我々の生命に吹き込まれるのである。先人たちの声を介することで、本書が生者と死者との饗宴の場となるならば、これに過ぎる幸いはない。

　本書の出版に際しては多くの方々のお世話になった。第7講で対話の相手を務めてくださった伊藤比呂美さんには、シャーウッド・アンダーソンを介して無二の「詩恩」を授かった。白水社の竹園公一朗さんは、同時にいくつもの仕事を抱えながらも、つねに最善の道筋を照らし、「書恩」を授けてくれた。高知県立大学の同僚からは、不均衡かつアンフェアな世界と対峙するための同志的「学恩」を授かり続けている。ゼミ生や受講生たちは、いつもよく感じ、考え、葛藤しながら、清新な声で授業に命を吹き込んでくれた。家族には、毎日書き進めた分の音読を聴いてもらい、厳しくも忌憚のない感想と声援とを授かった。その他、個々に記せばきりがないが、わたしに関わってくれたすべての方々の声が、わたし自身の声に宿っている。死者・生者を問わず、無数の声の持ち主たちから授かった「声恩」に深く感謝する。

2023 年 1 月
白岩英樹

年譜

1620年	メイフラワー号に乗ったピルグリム・ファーザーズがプリマスに到着。
1706年	1月17日、フランクリンがボストンに生まれる。
1718年	フランクリンが兄の営む印刷所で見習いとして働きはじめる。
1737年	1月29日、トマス・ペインがイングランドのノーフォークに生まれる。
1743年	4月13日、トマス・ジェファソンがヴァージニア植民地に生まれる。
1748年	フランクリンが事業から身を退き、政治活動に進出。
1771-89年	フランクリンが『自伝』を執筆。
1776年	フランクリンが独立宣言の起草・署名委員に名を連ねる。 トマス・ペインが『コモン・センス』を出版。
1790年	4月17日、フランクリンがフィラデルフィアにて死去。
1797年	トマス・ジェファソンがアメリカ学術協会の会長に選出される。
1801-09年	トマス・ジェファソンが第3代大統領を務める。

1803 年	5 月 25 日、エマソンがボストンに生まれる。
1809 年	6 月 8 日、トマス・ペインがニューヨークにて死去。
1817 年	7 月 12 日、ソローがコンコードに生まれる。
1819 年	5 月 31 日、ホイットマンがロングアイランドに生まれる。
1821 年	12 月 12 日、ギュスターヴ・フロベールがフランスのルーアンに生まれる。(-1880 年)
1826 年	7 月 4 日、トマス・ジェファソンがヴァージニアにて死去。
1835 年	1 月 10 日、福沢諭吉が摂津国に生まれる。(-1901 年)
1830 年	ホイットマンが印刷所で見習いとして働きはじめる。
1831 年	2 月 8 日、エマソンの妻エレンが死去。
1832 年	牧師職を辞したエマソンがヨーロッパへ渡る。
1835 年	11 月 30 日、マーク・トウェインがミズーリに生まれる。(-1910 年)
1836 年	エマソンが『自然』を出版
1837 年	エマソンがマサチューセッツ州ケンブリッジで「アメリカン・スカラー」と題する講演を行う。
1840 年	3 月 16 日、渋沢栄一が武蔵国に生まれる。(-1931 年)
1841 年	エマソンが「自己信頼」を所収する『エッセイ　第 1 集』を出版。 ソローがエマソンの家に住み込む。

1845 年	7 月 4 日、ソローがウォールデン湖畔での生活を開始する。
1846 年	ソローが人頭税の支払いを拒否して、投獄される。
1848 年	ソローがコンコードのライシーアムで「市民的不服従」の基になる講演を行う。 ホイットマンが奴隷制に関する民主党の方針を批判して、新聞社を解雇される。
1854 年	エマソンがニューヨークで「逃亡奴隷法」と題する講演を行う。 ソローが『ウォールデン』を出版。
1855 年	7 月 4 日、ホイットマンが『草の葉』初版を出版。
1860 年	ホイットマンが『草の葉』第 3 版を出版。
1862 年	5 月 6 日、ソローがコンコードにて死去。 ホイットマンがワシントンの陸軍病院で看護師を務める。
1867 年	2 月 9 日、夏目漱石が江戸に生まれる。(-1916 年)
1873 年	ホイットマンが脳出血で左半身に麻痺を起こす。
1874 年	2 月 3 日、ガートルード・スタインがペンシルベニアに生まれる。(-1946 年)
1876 年	9 月 13 日、アンダーソンがオハイオに生まれる。
1877 年	フロベールが『三つの物語』を出版。
1882 年	2 月 2 日、ジェイムズ・ジョイスがアイルランドのダブリンに生まれる。(-1941 年) 4 月 27 日、エマソンがコンコードにて死去。

	7月22日、エドワード・ホッパーがニューヨークに生まれる。(-1967年)
1885年	マーク・トウェインが『ハックルベリー・フィンの冒けん』を出版。 9月11日、D・H・ロレンスがイングランドのノッティンガムシャーに生まれる。(-1930年)
1892年	3月26日、ホイットマンがニュージャージーにて死去。 夏目漱石が「文壇に於ける平等主義の代表者『ウォルト、ホイットマン』Walt Whitman の詩について」を発表。
1896年	母親の死をきっかけに、アンダーソンがシカゴへ出る。 8月27日、宮沢賢治が岩手に生まれる。(-1933年)
1897年	9月25日、ウィリアム・フォークナーがミシシッピに生まれる。(-1962年)
1899年	7月21日、アーネスト・ヘミングウェイがイリノイに生まれる。(-1961年)
1903年	ガートルード・スタインがパリへ移住する。
1904-05年	マックス・ヴェーバーが『プロテスタンティズムの倫理と資本主義の精神』を執筆。
1909年	ガートルード・スタインが『スリー・ライブス』を出版。
1912年	アンダーソンが失踪事件を起こす。
1916年	アンダーソンが『ウィンディー・マクファーソンの息子』を出版。

1918 年	アンダーソンが『中西部アメリカの聖歌』を出版。 2 月 17 日、金関寿夫が島根に生まれる。(-1996 年)
1919 年	アンダーソンが『ワインズバーグ、オハイオ』を出版。
1920 年	8 月 16 日、チャールズ・ブコウスキーがドイツのラインラント＝プファルツに生まれる。(-1994 年)
1923 年	D・H・ロレンスが『アメリカ古典文学研究』を出版。
1926 年	6 月 3 日、アレン・ギンズバーグがニュージャージーに生まれる。(-1997 年)
1927 年	アンダーソンが『新しい聖約』を出版。
1929 年	1 月 15 日、マーティン・ルーサー・キングがアトランタに生まれる。(-1968 年)
1930 年	5 月 8 日、ゲイリー・スナイダーがカリフォルニアに生まれる。
1938 年	5 月 25 日、レイモンド・カーヴァーがオレゴンに生まれる。(-1988 年)
1940 年	J・M・クッツェーが南アフリカのケープタウンに生まれる。
1941 年	3 月 8 日、アンダーソンが南米への船上にて死去。
1949 年	1 月 12 日、村上春樹が京都に生まれる。
1954 年	7 月 11 日、柴田元幸が東京に生まれる。
1955 年	9 月 13 日、伊藤比呂美が東京に生まれる。

索引

白岩英樹（しらいわ・ひでき）

1976年、福島県生まれ。早稲田大学卒業後、AP通信を経て、大阪芸術大学大学院で博士号を取得。現在、高知県立大学文化学部准教授。著書に『シャーウッド・アンダーソン論』（作品社）、『ユニバーサル文学談義』（共著、作品社）、訳書に『シャーウッド・アンダーソン全詩集』（作品社）。

講義　アメリカの思想と文学
分断を乗り越える「声」を聴く

2023年2月15日　印刷
2023年3月10日　発行

著　者 © 白　岩　英　樹
発行者　　岩　堀　雅　己
印　刷　　株式会社理想社
製　本　　株式会社松岳社

発行所
101-0052東京都千代田区神田小川町3の24
電話 03-3291-7811（営業部），7821（編集部）　　株式会社白水社
www.hakusuisha.co.jp
乱丁・落丁本は、送料小社負担にてお取り替えいたします。

振替 00190-5-33228　　　　Printed in Japan

ISBN978-4-560-09484-6

小説の技巧

デイヴィッド・ロッジ 著／柴田元幸、斎藤兆史 訳

読者を小説世界に引きずりこむために作家は書き出しにどんな工夫を凝らしているか。サスペンスを持続させるにはいかなる妙技が必要か。登場人物の名前がもつ意味は。「エマ」「ユリシーズ」から「ライ麦畑」「日の名残り」まで、古今の名作を題材にその技法を解明し、小説味読の楽しみを倍加させる一書。

大学教授のように
小説を読む方法 ［増補新版］

トーマス・C・フォスター 著／矢倉尚子 訳

シェイクスピアや聖書の引用、天気や病気の象徴的使い方、性的暗喩、隠された政治的意図……。小説の筋を楽しむだけでなく、一歩踏み込んで読み解くための 27 のヒント。